ココロの友だちにきいてみる

細川貂々

笠間書院

ずっとしあわせに
なりたいと
思ってました

こどもの頃から
夢だった
まんが家に
なれても
○○賞受賞
おめでとう
ベストセラーの
本を
出せても
シリーズ累計
100万部
おめでとう
自分を
支えてくれる
パートナーと出会い
結婚しても
結婚
おめでとう
ムリだと
あきらめた
こどもを
さずかっても
出産
おめでとう
でもどうせ
このあと
うまく
いかない
なぜかこんなふうに考えてしまい
「しあわせだ」と思えたことは
ありませんでした

その理由はこどもの頃から
私の「心の友だち」が

ネガティブ思考クイーーンだったからです

心の友だちは
なんとなく頭の中に
いるような
気がします
オホホホホ
そもそも
心ってどこに
あるんだろ
私が一歩前に
ふみ出そうとするとき
よし
いくぞ
どうせ
うまくいかない
ムリムリ
やっぱり
ムリか
心の友だちに
引き戻される

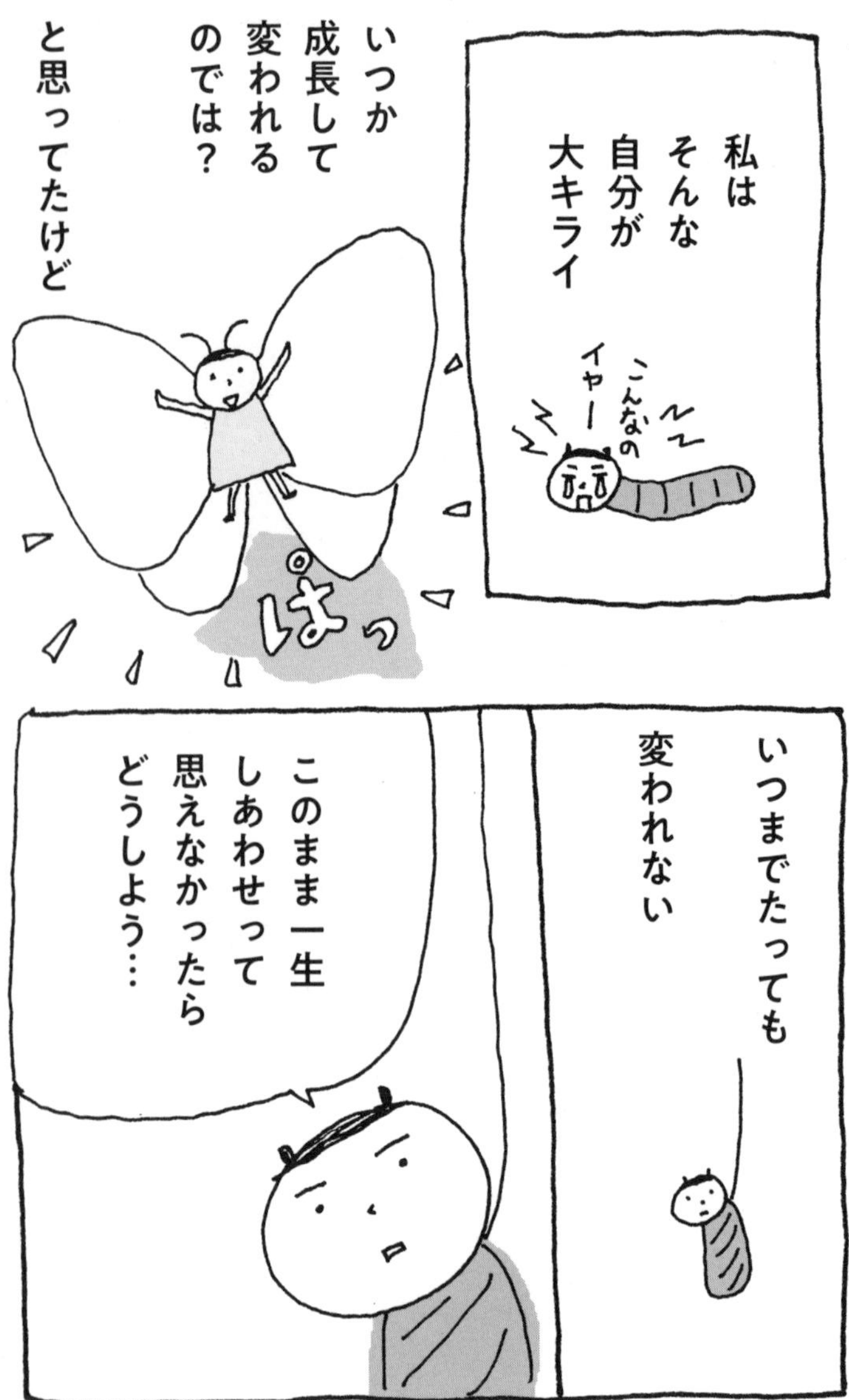
私は
そんな
自分が
大キライ
こんなの
イヤー
いつか
成長して
変われる
のでは？
と思ってたけど
ぱっ
いつまでたっても
変われない
このまま一生
しあわせって
思えなかったら
どうしよう…

そんなのは
いやだ
そこで
48才のたんじょう日から
一日ひとつしあわせを
みつけて書きとめる
しあわせさがし日記を
はじめました
どんな小さな
ことでもよいから
「よかったこと」
を書く
日記をはじめた
頃は
いいことなんか
何もないよ
はっ

そーだよね
いや　でも
やるって
決めたし!!
ムリ
ムリ
ネガティブ思考クイーンに
ジャマされたけど
毎日必死に
「よかったこと」を
探して書いたところ…
おフロに
入って
キモチ
よかった
おいしい
ものを
食べた
たくさん
笑って
楽しかった
あれ？

あっちにもこっちにも
あ、お花さいてる
ひさしぶり
いいお天気
まわりにはたくさんいいことがありました
そのことに気づいたとき
私にはしあわせを感じる力がなかったんだ
と思いました
しあわせってなるものじゃなく感じるものなんだ
それからは
うれしい
キモチいい
楽しい
に出会えたらちゃんと味わうことにしました
そうすることで→感じる力が強くなる

一日ひとつ
よかったことを
見つける日記は
一年間続けました

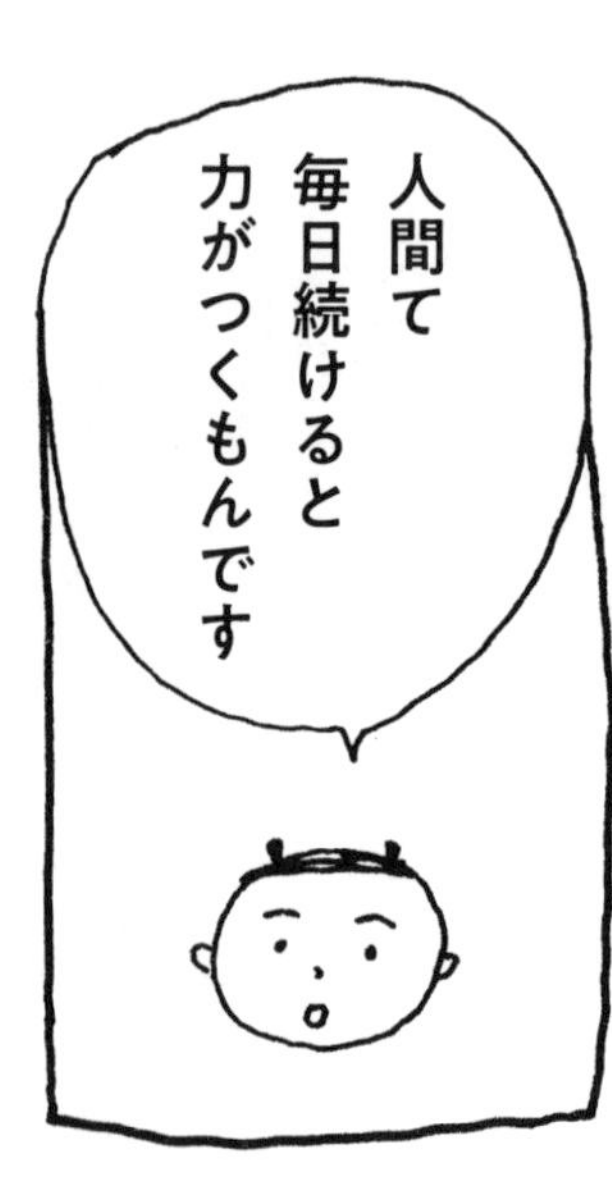

でも
オーホホホ
バカね
そんなに
うまくいくわけ
ないでしょ？
私はずーっと
あなたの頭の中に
いるのよ
そうだった!!
忘れてた
私には
こどもの頃からの
心の友だち
ネガティブ思考
クイーンがいる

私の頭の中には
ずっと
あなたがいる
そーよ
あなたは
ずっと私の
ジャマをする
そーよっ
だったら私を
助けてくれる
支えてくれる
あたらしい
心の友だちを
つくるよ

ズっ
あたらしい友だちと
仲よくなって
もっといいことを
感じられるように
友だち日記をやるよ
しあわせさがし日記
一年間やったから
できそうな気がする

私の心が
いいほうにいきすぎても

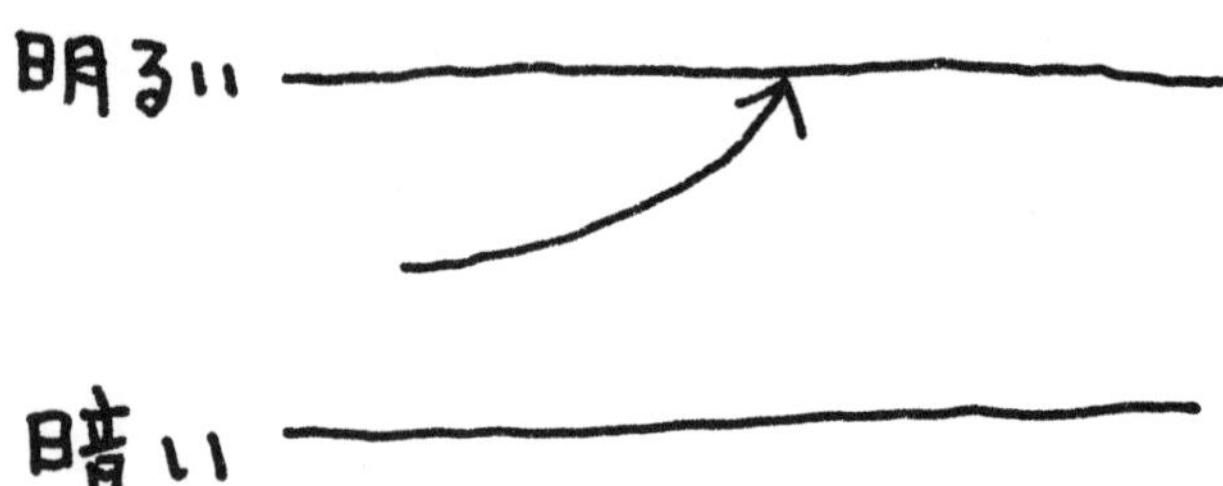

悪いほうにいきすぎても

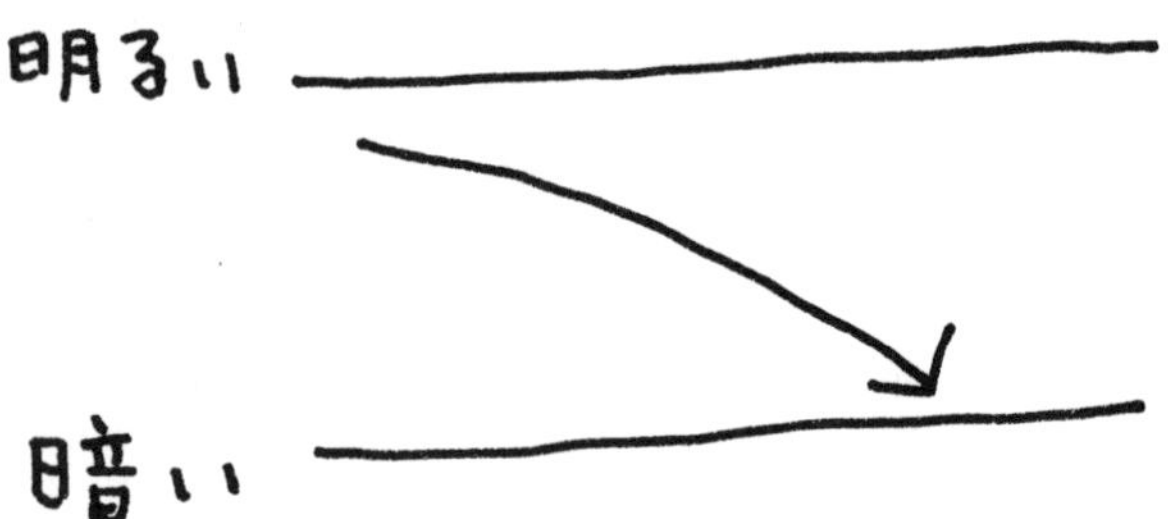

まん中に戻してくれる
心の友だちをつくる

明るい

暗い

心の友だちには、
ネガティブな気持ちもポジティブな気持ちも、
ちょっとした出来事も、何でも伝えよう

モヤモヤを言葉にして
頭の外に出すだけで
「まん中」に戻るよ

心の友だちはどんな子？

私を支えてくれる

いろいろ
まよったけど

この子に
きめた

はじめに

「自分をほめることなんてできない」「私は自分がとても嫌い」
という人がいます。私もずっとそうでした。
世の中で一番嫌いなのは私。
自分は最悪で最低な人間だと思っていました。
どうして自分をそういうふうに思ってしまうのか。
ひとつは親（主に母親）にそう言われて育ってきたから、
というのがあります。
もうひとつは自分がゼロヒャク思考で、
物事を黒か白かで判断してしまう癖があるというのもあります。
そういう自分を変えたくていろんなことをしてきましたが、
無理でした。
そんなとき精神科医の水島広子先生と出会って、
「今の自分を認めない限り前には進めない」と言われたことで、
自分を認める練習をはじめました。

その練習のひとつとしてやったのが「友だち日記」です。

この「友だち日記」は水島広子先生と共著で作った『生きづらい毎日に　それでいい。実践ノート』（創元社）がもとになっています。

本書は、私が1年間続けた「友だち日記」をまとめたものです。

私の日記を読んでみて、

「こんなときにこんなことを書くとよさそう」

という参考にしてもらえたらと思います。

本文には、日記を書いても、

「やっぱり自分をほめられない！」と思ったとき、
声に出して読んでほしいフレーズも用意しました。

いつも自分に寄り添ってくれるココロの友だち、

「ココ友」を眺めているだけでも元気がでると思います。

みなさんの助けになれたらうれしいです。

細川貂々

CONTENTS

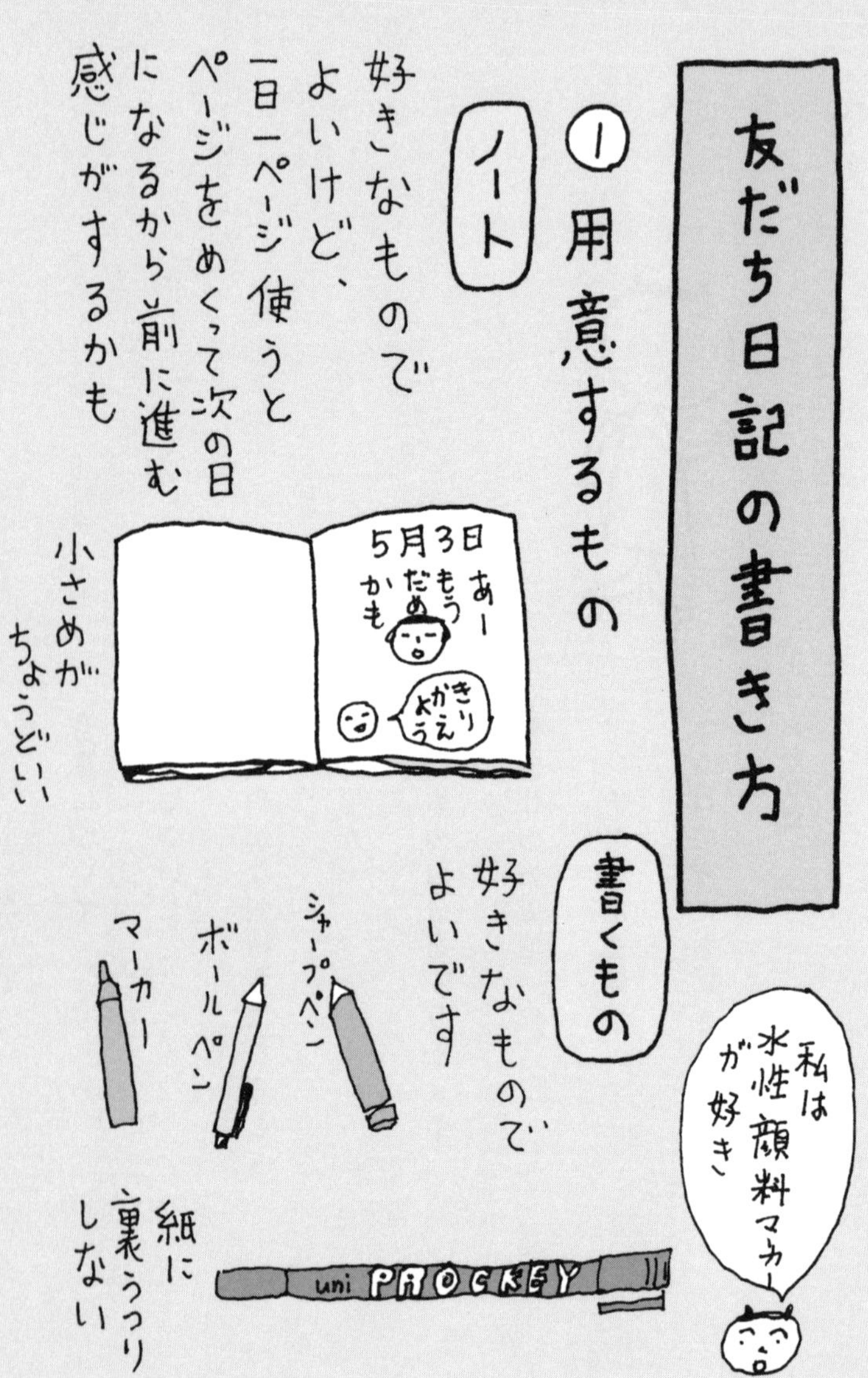

友だち日記の書き方
①用意するもの
ノート
好きなものでよいけど、一日一ページ使うとページをめくって次の日になるから前に進む感じがするかも
5月3日
あーもうだめかも
きりかえよう
小さめがちょうどいい
書くもの
好きなものでよいです
私は水性顔料マーカーが好き
シャープペン
ボールペン
マーカー
uni PROCKEY
紙に裏うつりしない

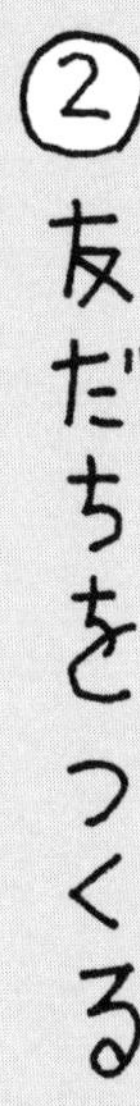

自分の友だちは
どんなキャラクターが
よいか考えてみる

私の場合は
私が買って
私の部屋に
かざってある
ぬいぐるみや
人形の中から
えらびました

（16～17ページのイラストが
それです）
自分の好きなものがいいです

③書いてみる
今日
起きたこと
気になったこと
考えたこと
を書く
それに対して
友だちが何か
ひとこと言って
くれる
心の
友だち
◎実際に現実の
友だちに言って
もらったコトバ
でもよい
心の友だちは
なんて声を
かけてくれるだろう
と想像しながら
書く

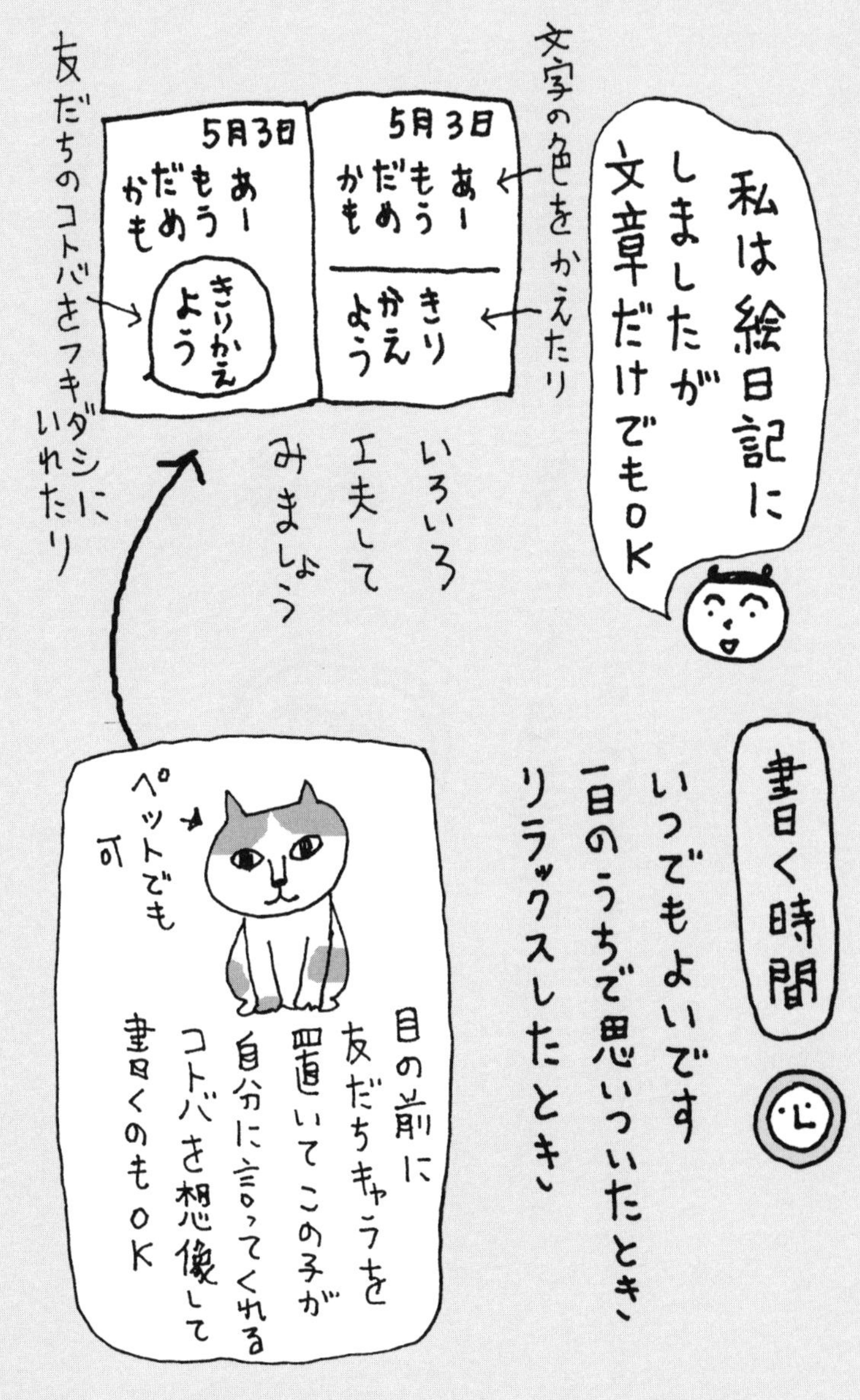

書く時間
いつでもよいです
一日のうちで思いついたとき
リラックスしたとき
私は絵日記にしましたが文章だけでもOK
文字の色をかえたり
5月3日
あーもうだめかも
きりかえよう
5月3日
あーもうだめかも
きりかえよう
いろいろ工夫してみましょう
友だちのコトバをフキダシにいれたり
ペットでも可
目の前に友だちキャラを置いてこの子が自分に言ってくれるコトバを想像して書くのもOK

準備
OK
友だち日記
はじめます

考えすぎることについて

私はふだんいろいろ考えすぎて
失敗することが多いです
考えても答えの出ないことを
ずっと考えるので
モヤモヤした時間も長くなります
ひどいときは考えすぎて
疲れて寝込んだりします
そういうことがたびたび起きるので
考えてることを言葉にすることにしました

1日目

今日から
友だち日記を
はじめることに
した

続けられるのかな?

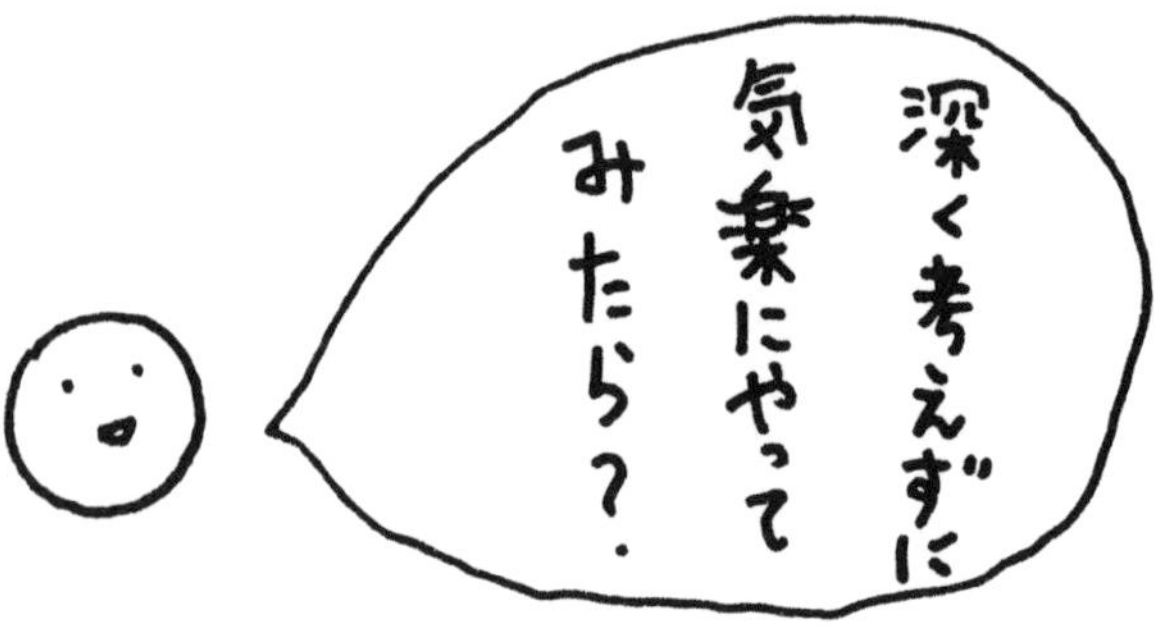

深く考えずに
気楽にやって
みたら?

2日目

ずーっと
コレと
どう
つきあって
いくのか
悩んできた

コレ

悩みすぎると
前に進めなく
なるよ

なぜか
ネガティブ思考クイーンの
絵を描いてると楽しい
オーホホ
と
いうことは
この子のことも
好きなんじゃ
ない？

4日目

仕事が思うように進まなかった、
あせる
どうしよう

しめきりまでまだ時間はたっぷりあるよ

COLUMN　ココ友、もうちょっときいて！

私はなんでもすぐ立ち止まって、
考えて悩んじゃう。
そして答えがわからないと、
身動きがとれなくなる。
ずっとそこに立ち止まってると、
ネガティブ思考クイーンができて、

だからダメなんだよ
今度もどうせうまくいかないよ

次々とうしろ向きなことを
言ってくるので前に進めなくなる。
どうしたらいいかわかんなくなる。
暗い気持ちでいっぱいになって、
つらくて苦しくなる。

考えても答えが
わからないときは
とりあえず 保留に
しよう

声に出して読むページ

少しずつ
前に進んでいこう

怒ることについて

私はちょっとしたことですぐ怒る
怒ると心臓がドキドキして
体がきんちょうして
言葉も乱暴になる
思ってなかったようなことも言ってしまう
そういうことを少しでもなくしたい

5日目

怒ってる人
と
怒ってる人
がいて
その間で
私は何も
できない

見守って
あげたら
いいんじゃない
？

6日目

みんなが
怒ってる
怒ってる
怒ってる

やっぱり
何もできない

みんなと一緒に
怒らなかったから

いいよ

7日目

どうやっても
わかりあえない
出会いは
不幸？

もうちょっと
ようすを
見てみよう

8日目

ある日 私も
ガマンしすぎて
かんにん袋の
緒が切れた

ブチッ

うん
しょーが
ないね

9日目

相手と同じ土俵に
立っても
意味がないから
大人になりなさい
と言われる
怒りの土俵
そんなところ
すぐに
おりちゃい
な

10日目

泣きながら
言えなかった
ことを言った

COLUMN　ココ友、もうちょっときいて！

私の場合、
「どうせ言ってもわかってもらえない」
と思ってるので、ギリギリまでがまんして、
キレると止まらなくなる。
それで人をきずつけることも多かった。
いつも不安で心配なので、ほうっておくと、
「怒りスイッチ」はすぐ入る。ムカッとする。
でも、それは人には言えない。
いつも怒ってる人だと思われたくない。
それでがまんして、かんにん袋をふくらませる。
いつもイライラしてた。

うん、怒ってるときは不安なんだと思う
怒りを感じたら観察するといいよ
ムカッとしたら自分は何に不安
なんだろうと考えてみる
他人がムカッとしてたら何が不安
なのかなって想像してみる
そうすることで、自分の心は
怒りにふりまわされなくなるよ

声に出して読むページ

今日は
何も
しなくていい日

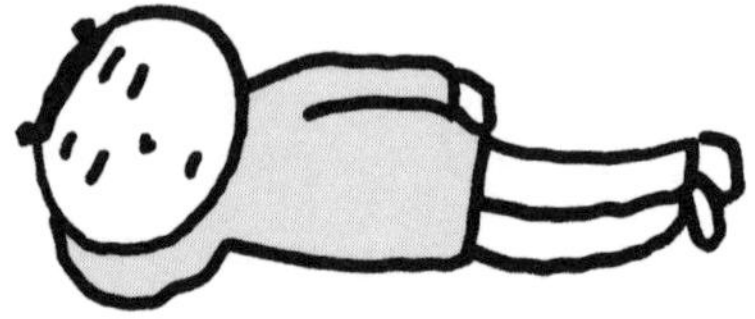

心について

心ってなんだろう
自分の中にあるきおくの引き出しと
自分がもってる言葉でできてると思う
ひとりひとり心はちがう
だからむずかしい

11日目

12日目

別のことに
ふりまわされて
やらなきゃいけないことが
進んでなくて あせる

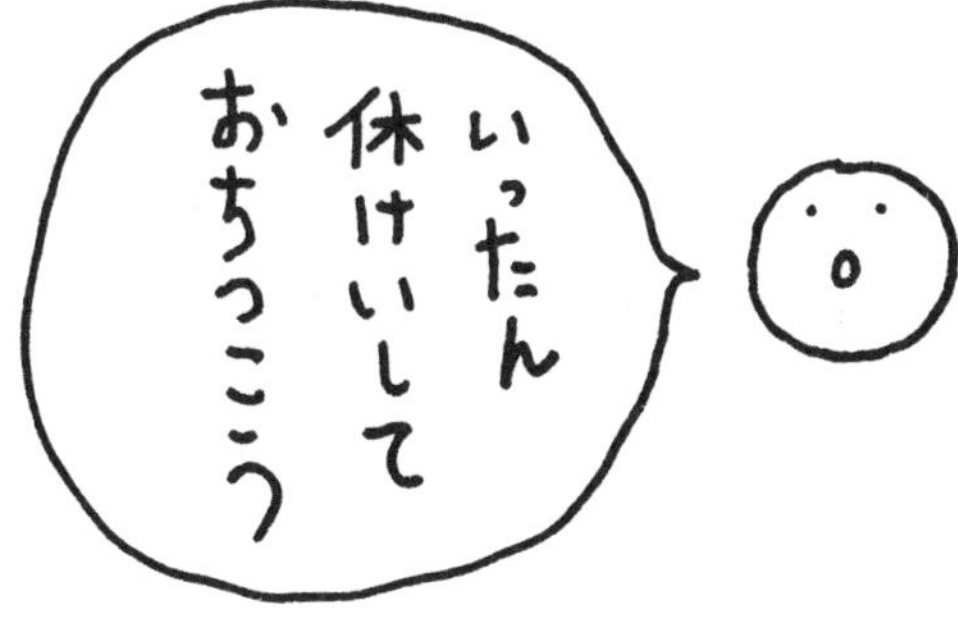

13日目

14日目

予想不可能な
ことが
たてつづけにおきた

えっ

ガーン

そんなこと
ってあるの?

しょうげき的な
ことにぶつかったの
だから ショックを
うけるのは
しょうがないよ

15日目

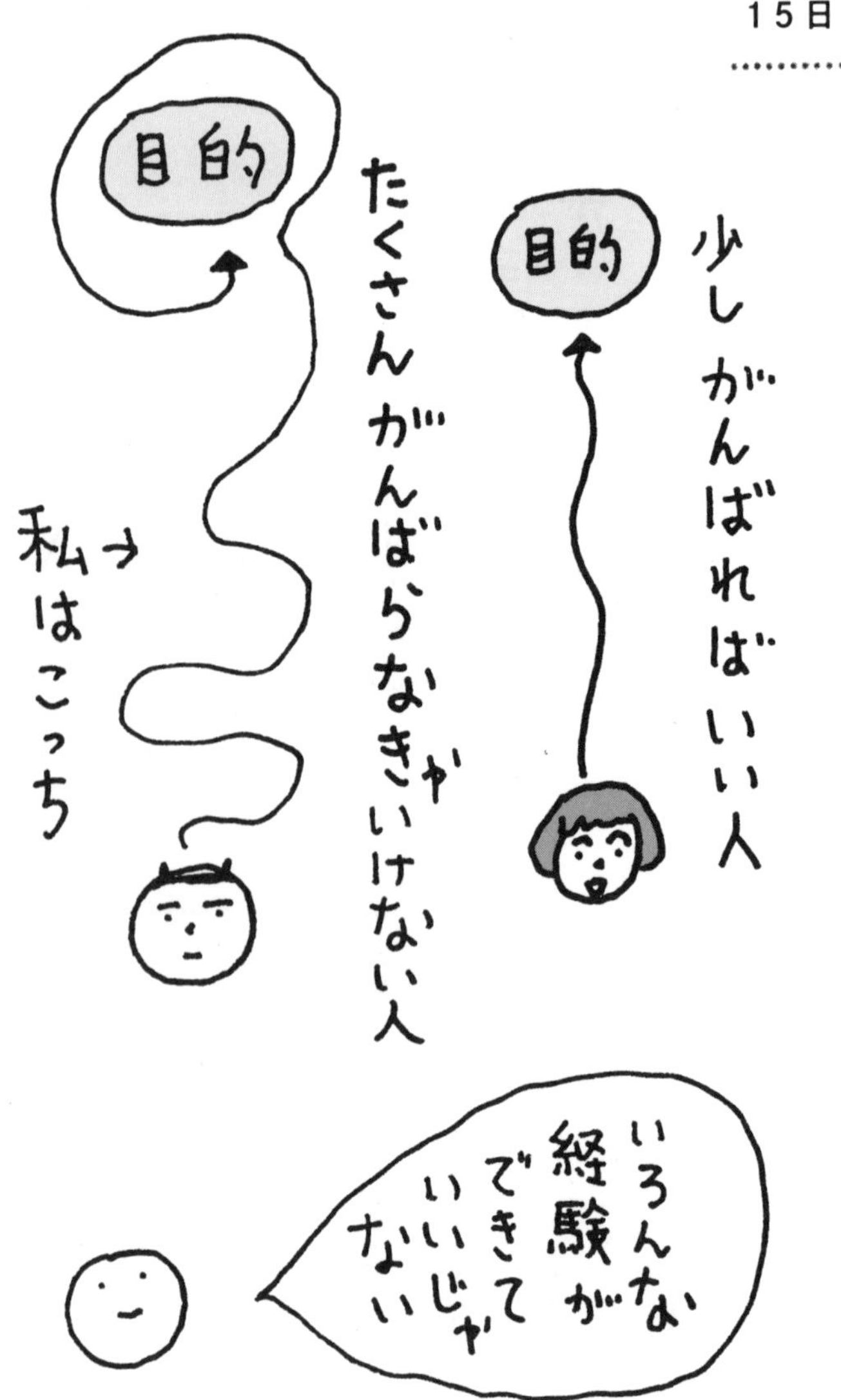
目的
目的
少しがんばればいい人
たくさんがんばらなきゃいけない人
私→はこっち
いろんな経験ができていいじゃない

16日目

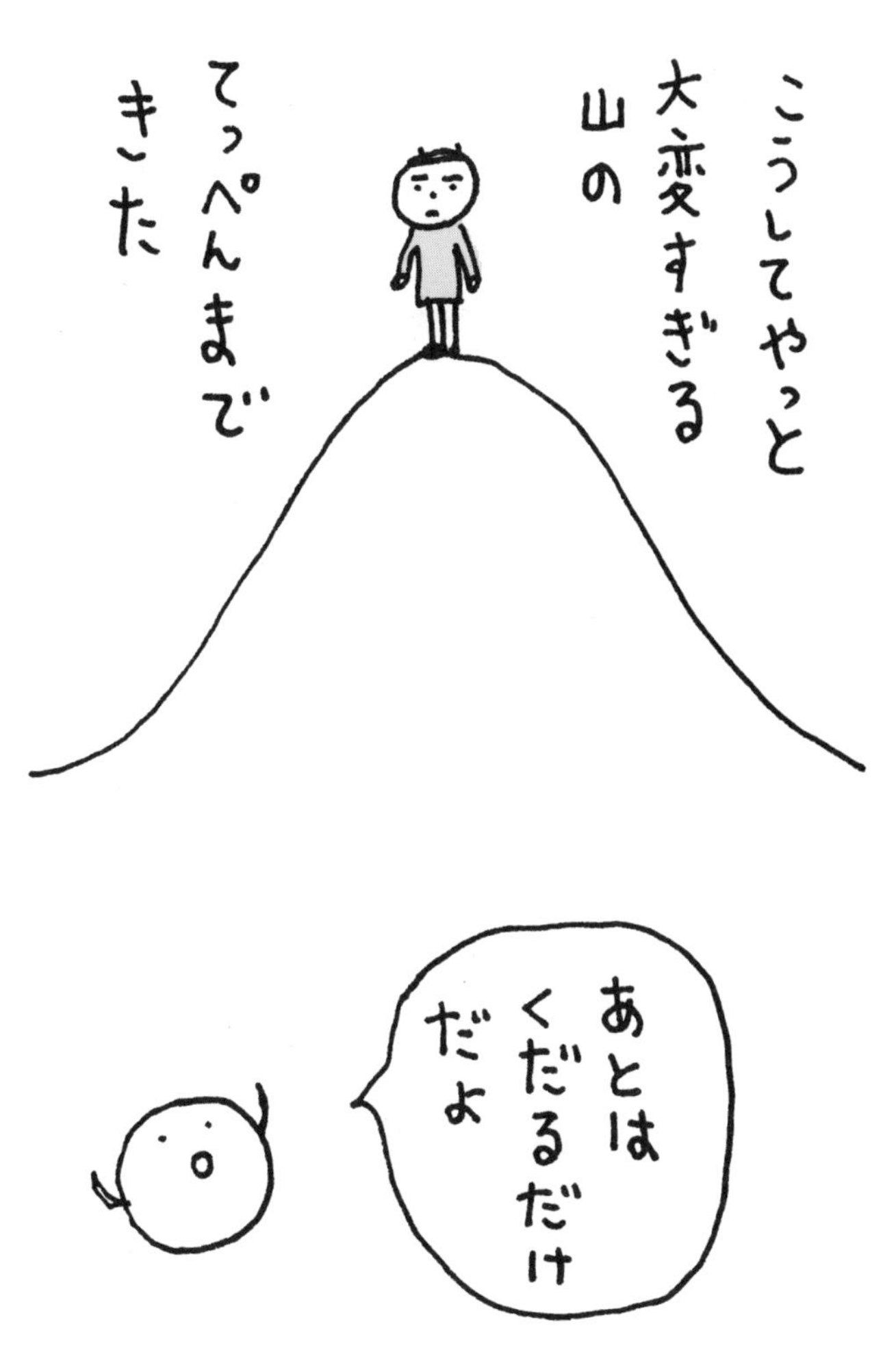

17日目

一段落してホッとしたら不安になった

ためてたつかれがドッと出たんだよ

自分の不安な気持ちが
あふれたので
「助けてください」って
お願いしました

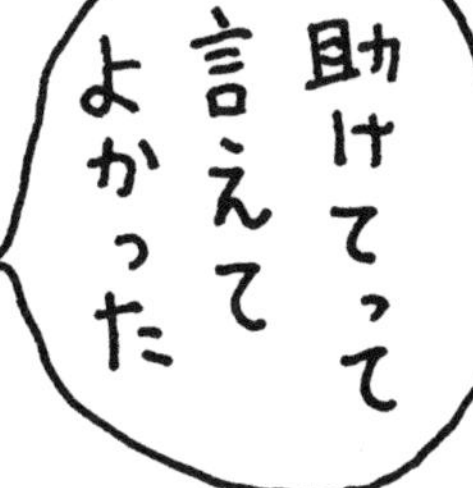

COLUMN　ココ友、もうちょっときいて！

ホッとしたり、「ああよかった」など、
明るい気持ちを経験すると、
その夜、悪夢を見る。
いじわるな人とかかわったときも、
悪夢を見る。
私の夢はネガティブ思考クイーンに、
支配されてるのだと思う。

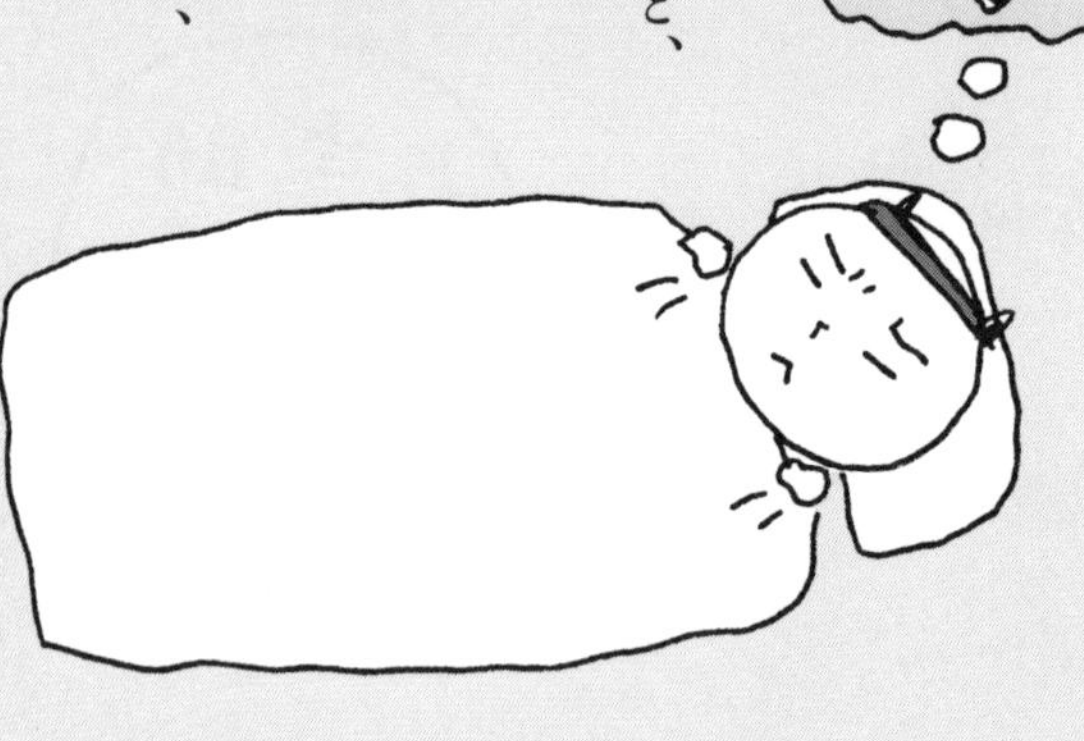

悪夢を見たときは
からだや心がつかれてることも
あると思うよ
そういうときは休もう
悪夢は自分がつかれてる
サインだと思うように
したらいいよ

自分ばかり
コワイ目にあう
気がする

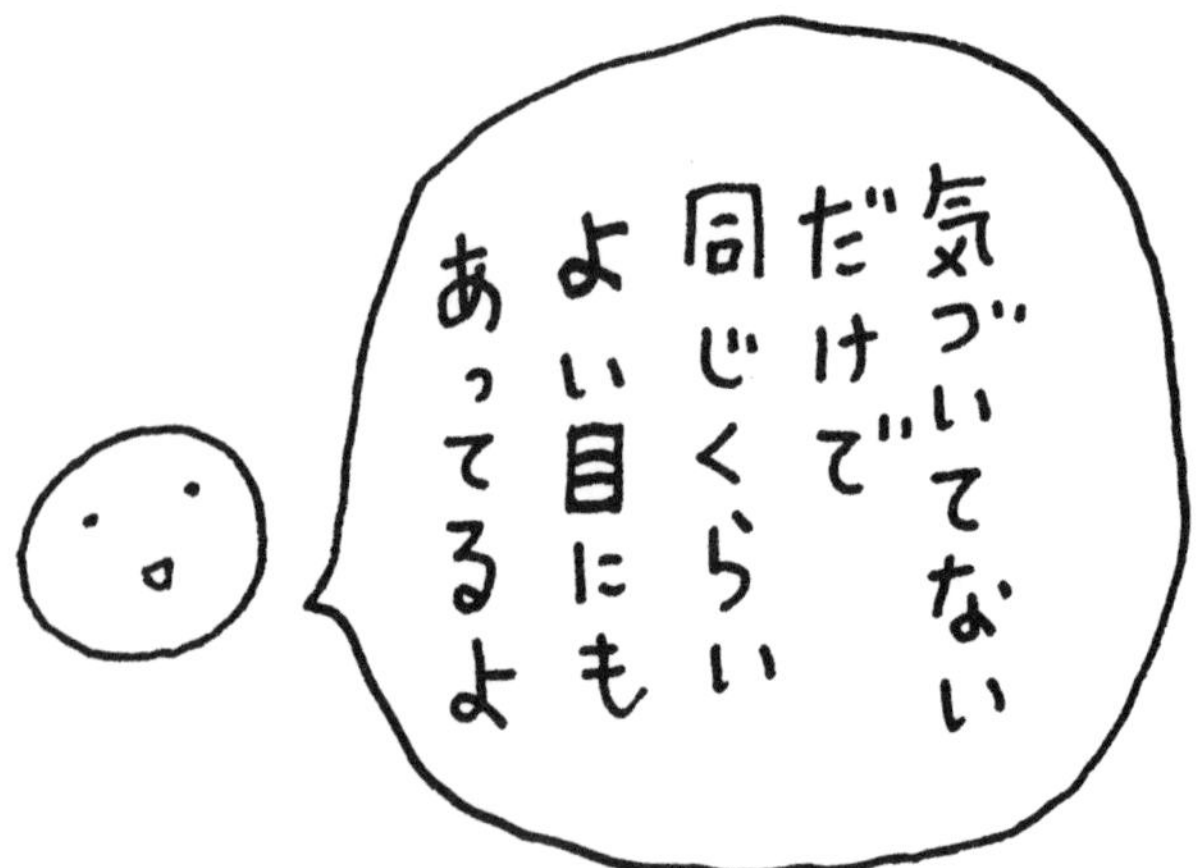

20日目

自分ではもう
何が本当か
わからなくなって
しまった

すぐに信用
できる人に
相談しよう

21日目

もしかして
自分の不幸は
自分自身が
生み出してるのか？

22日目

「やせた？」

と聞かれる

「いいえ
やつれたんです」
と答える

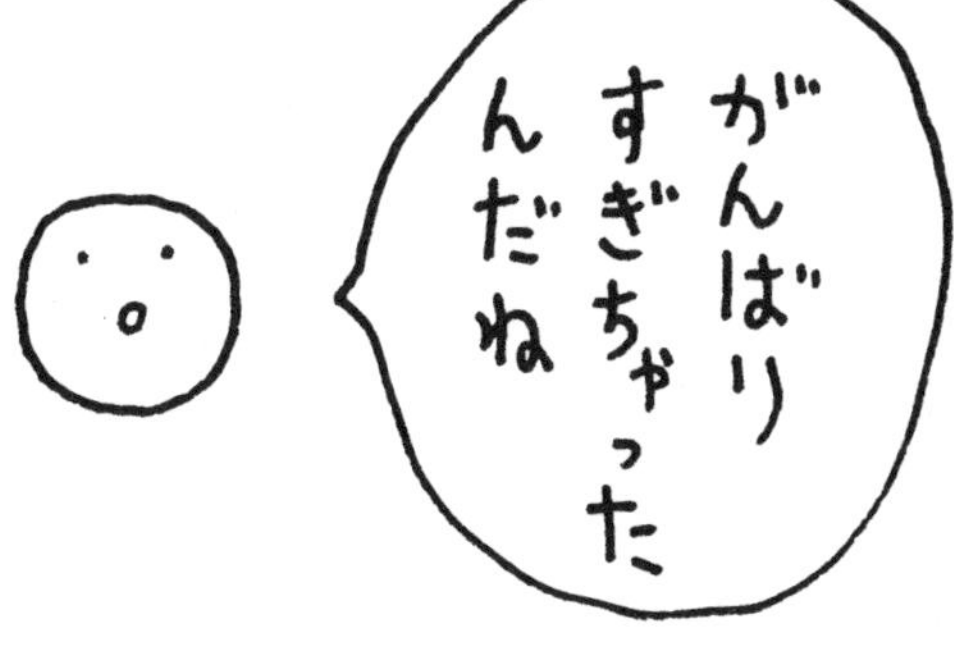

COLUMN　ココ友、もうちょっときいて！

私はすぐ、
「ちょっとしたこと」が気になる。
考え出すと「どうして？」が、
エンドレスで続く。
どんどん悪いほうに考えてしまう。
そうして、
「ちょっとしたこと」がいつのまにか、
「悪いこと」に変換されてしまう。
過去の「悪いこと」のきおくが、
次々うかんで、
「だから未来も悪いことがおきる」
とゆううつになる。

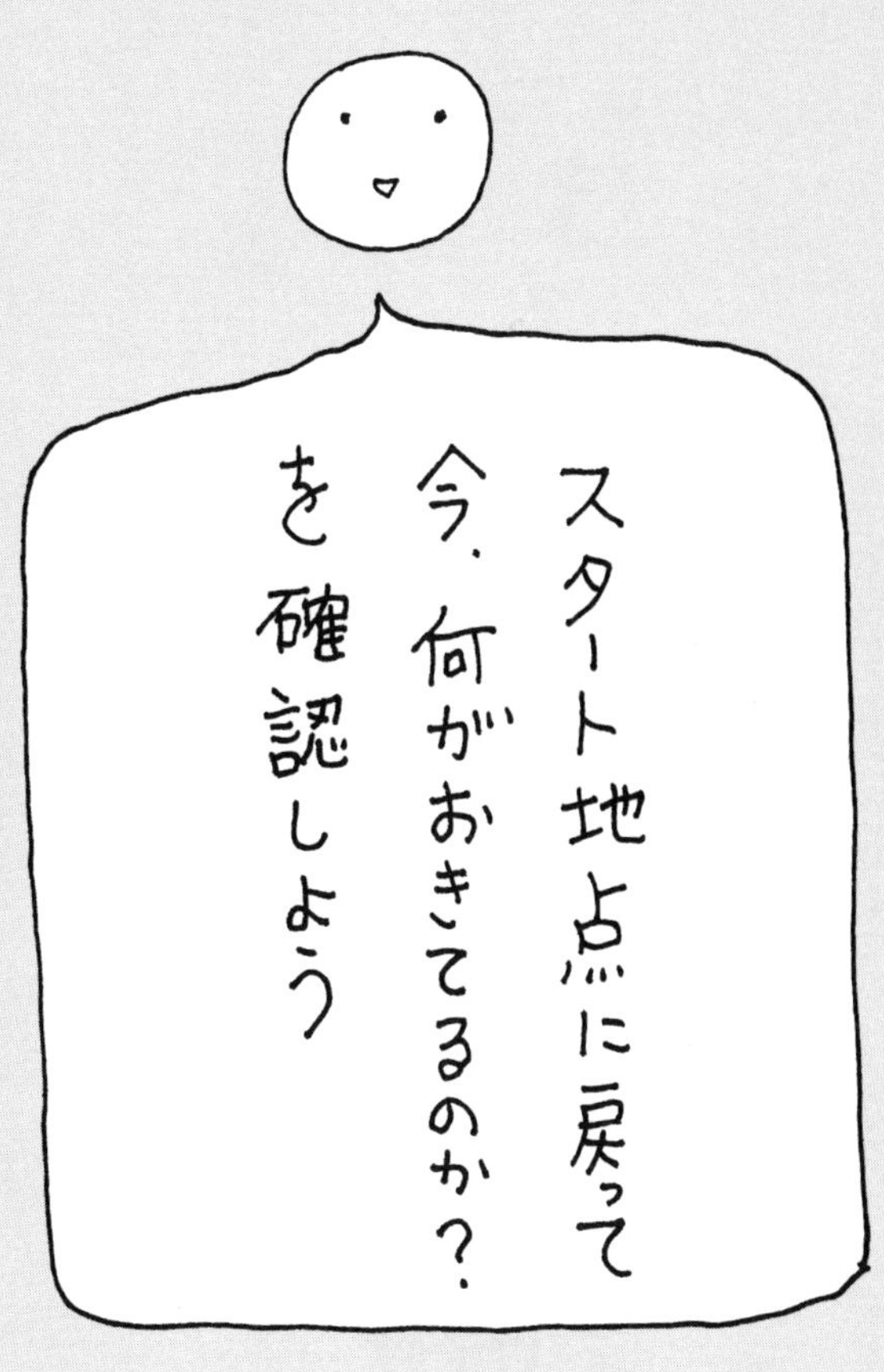
スタート地点に戻って
今、何がおきてるのか？
を確認しよう

声に出して読むページ

まわりとちがってもまァいいかー

人はわからないなってこと

「人の気持ちをわかりなさい」って言われて
育った私は人の気持ちをわかろうと努力しました
そして勝手に「こう思ってるだろう」って
決めつけることで「人の気持をわかった」
つもりになっていました
でも、ひとりひとりは違う心を持ってます
相手のことをわかりたいと思うならちゃんと
かかわらないといけないと思います

23日目

24日目

器の広い人だと
思ってたのに
実はそうじゃない
って
わかったんです

それは
相手より
テンさんの
器が
大きくなったって
ことかもよ

25日目

なんだか
納得いかないなあって
思うけど
ここは
引きさがろう

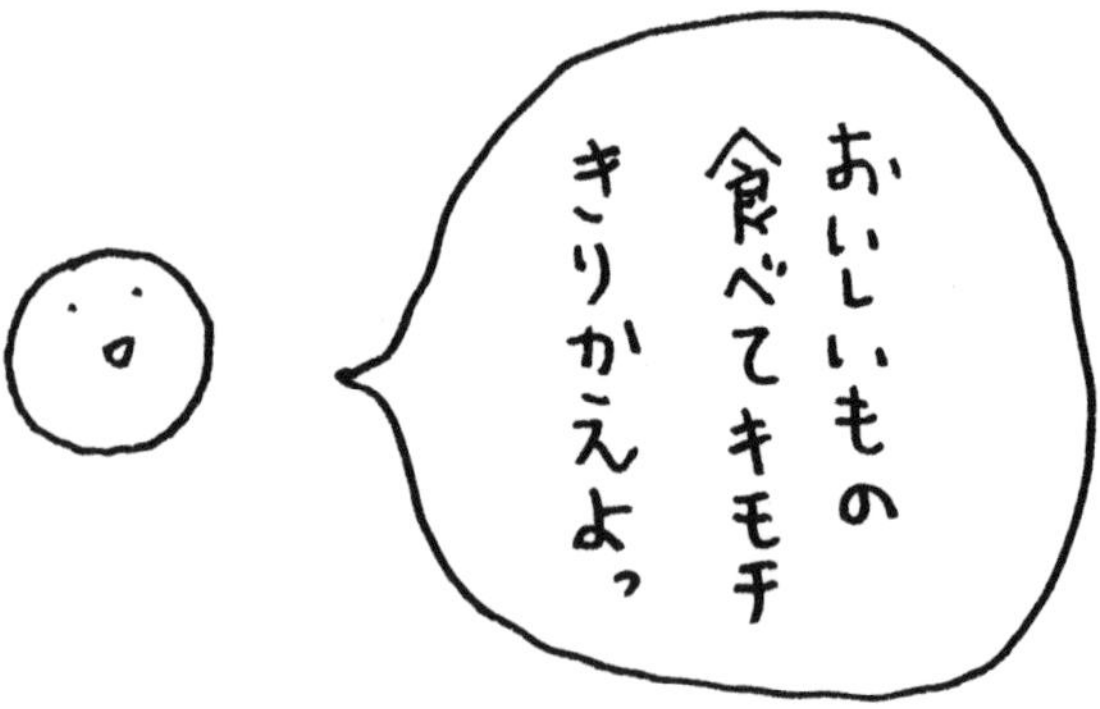

おいしいもの
食べてキモチ
きりかえよっ

こういうのが
わかってしまった
フフフフ
あやつろうとする人
気づけてよかったよ

27日目

タイプのちがう人が
集まると
うまく前に進めたり
もめていつまでも進まなかったり

そういうところが
人とかかわる
おもしろさだと
思うよ

28日目

わかりあえなくても
しょーがない
関係もある

またひとつ学んだね

COLUMN　ココ友、もうちょっときいて！

人にはいろんな面がある。
いつも見えてるところとちがう面もある。
状況が変わったときに、
その人の別の面が見えて、
おどろくこともある。
みんなよい所があれば悪い所もある。
悪い所が見えたからといって、
きらいになったりしなくてもいいと思う。
必ずよい所はあるんだから、
みんな、そこを見つけて仲よくできないの？

いろんな人がいて
いろんな考え方きしてるって
ことだけわかればいいんだよ
ムリヤリみんなと仲よくする
必要はないよ
仲がよくなる人とは自然と
仲よくできるもんだよ

よくても 悪くても
そのままを
素直に みとめるだけ
ってこと？

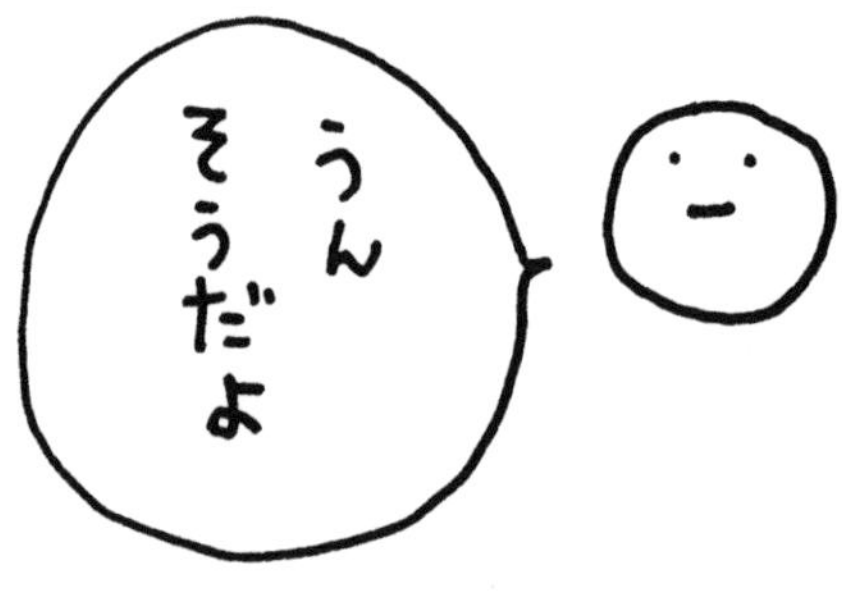

30日目

そういえば全部ちがう気がする

自分の頭の中で認識してる私

他の人から見えてる私

ココに存在する私

いろんな自分がいるね

コトバで人を
自分の思い通りに
動かそうとする人だった

あなたの
ためを
思って
言ってるの

思い通りに
動いたら味方

そうじゃなければ
敵

深い
ところに
気づいたね

32日目

自分をとりつくろって
まわりをコテコテに
ぬりかためても

誰かに何かを
言われたら

ポロポロ
はがれちゃう

オオカミ男が
満月を みると
オオカミになって
しまうのと似てるね

ネガティブ思考
クイーンに
会った
でもこの人
本当は
オドオド
びくびく
こーゆー人
ちがう面
を見たん
だね

34日目

どっちがいい人？

コワイ人のように見えるけど

実はやさしい人

やさしい人のように見えるけど

実はコワイ人

いいとか悪いとか決めてはいけないんだよ

35日目

ワクから
はみださない
生き方を
するほうが
楽!! という
考え方の
人もいる

いろんな
考え方が
あるもんね

36日目

こうなっちゃうと
つらい

これくらいのワクだと
のびのび

ワクの大きさや形は
人それぞれ ちがうんだね

みんな「自分メガネ」をかけてる

経験のひきだし

このメガネで見てることを真実だと思ってしまう

「自分メガネ」はその人がもってる経験のひきだしからできてる

時々はずして考えるクセをつけると生きやすくなるんだけどな

38日目

なんでもかんでも
すぐ決めつけては
いけないんだと思った

この人はこーゆー人
この人はこーゆー人

うん 人には
いろんな面が
あるしどんどん
変わるよ

39日目

人にはそれぞれ
事情がある

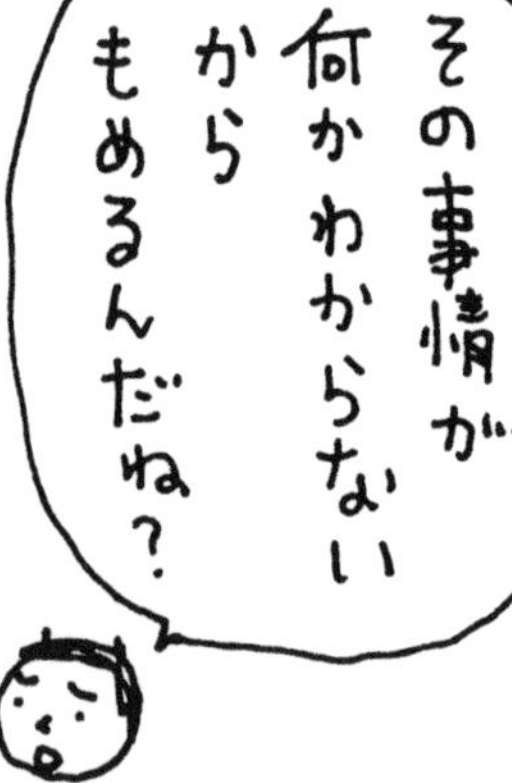

そうだねえ

40日目

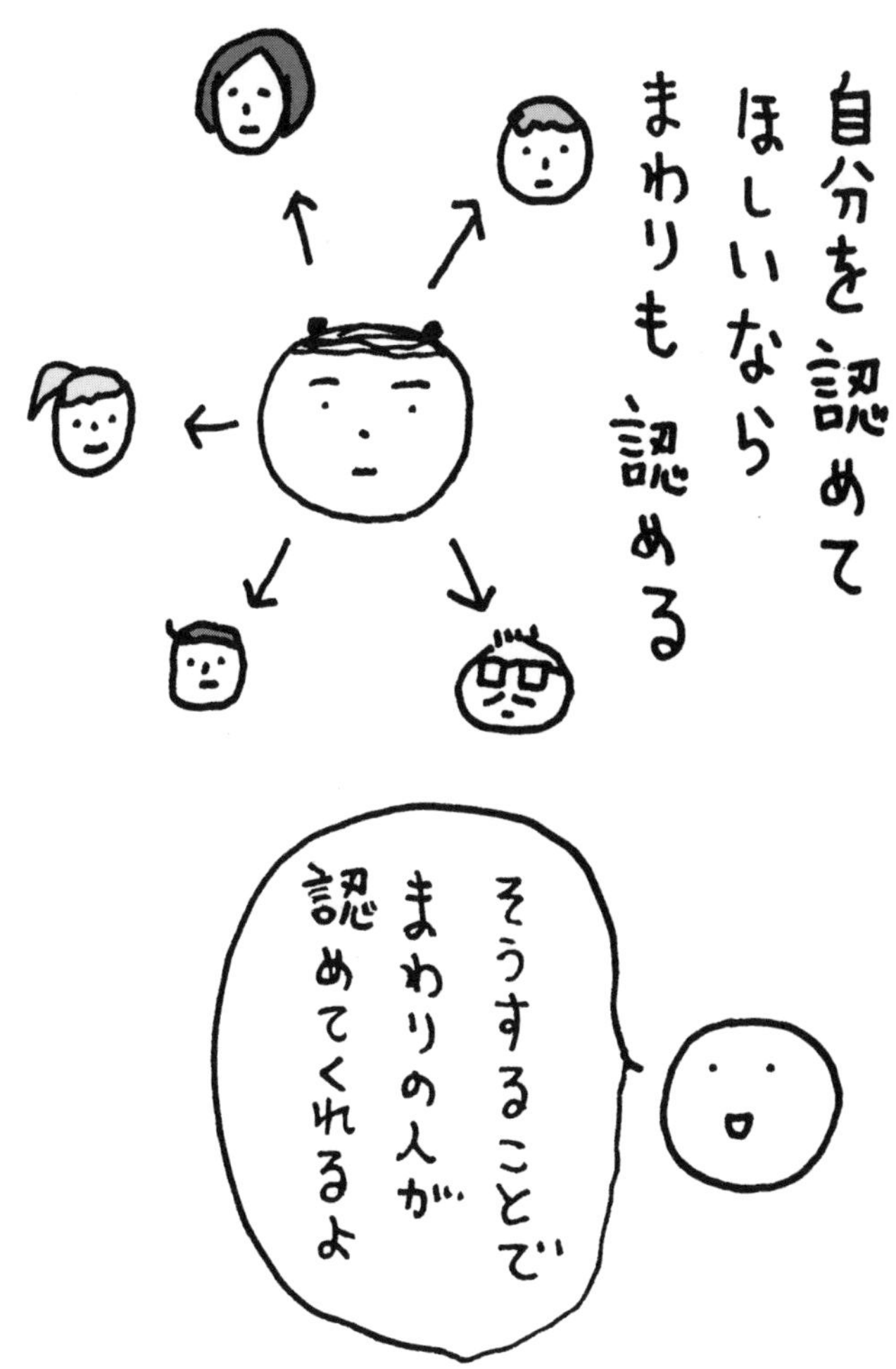

COLUMN ココ友、もうちょっときいて!

こういう人は要注意

言ってることがコロコロ変わる人

アレ?・この間とちがうこと言ってる

フツーに考えればわかるだろ

そのくらいさっしろよ

決めつける人

だってあなたがそうしてほしいって思ったからやってあげたのよ

他人を主語にして話す人

みんなそう言ってるよ

えらい人も言ってたよ

テレビでも言ってたよ

大げさに言う人

こういう人たちのコトバにふりまわされることないよ

ききながそうね

41日目

42日目

ずーっと
モヤモヤ
してたのが

スッキリ
した

よかった
ね

43日目

私流 モヤモヤから脱出する方法

ごちゃごちゃしたタンスの中を整理する

シワシワの服にアイロンをかける

ちょこっとだけそうじする

まわりがスッキリすると頭もスッキリする

なるほど

そういうことか

自分が何に対して
モヤモヤしてるのか
わからないときは

何にモヤモヤ
してたのか
みえてくる

なるほど
そういう
ことか

44日目

私の目の前を
猫が横切った

きっと
いいことが
あるよ

出会いと孤独について

最近よい出会いに
めぐまれてるなあと思います
でも私がネガティブ思考クイーンに
支配されてたときは
出会いのよしあしはわかりませんでした
人はコワイとずっと思いこんでました
人とかかわることが悩みでした

45日目

46日目

気になるなあ
って人がいた
ちゃんと
話しかければ
よかった

47日目

今は 私にとって

シレンのとき

成長できる

チャンスでも

あるよ

48日目

あの月を見て
さびしいって
思ってるのは
私だけじゃない

ウン きっと
同じように
思ってる人は
いる

COLUMN　ココ友、もうちょっときいて！

同じ思いでいる人は、どこかにいる。
私と同じ考えの人も、どこかにいる。
みんなどこかに向かって進んでる。
お互いに助けあいながら、前に進もうとしてる。
みんな一生けんめい生きてる。
そういう人たちの中で、
自分とわかちあえる人は、必ずいる。
きっとそうなんだよね？

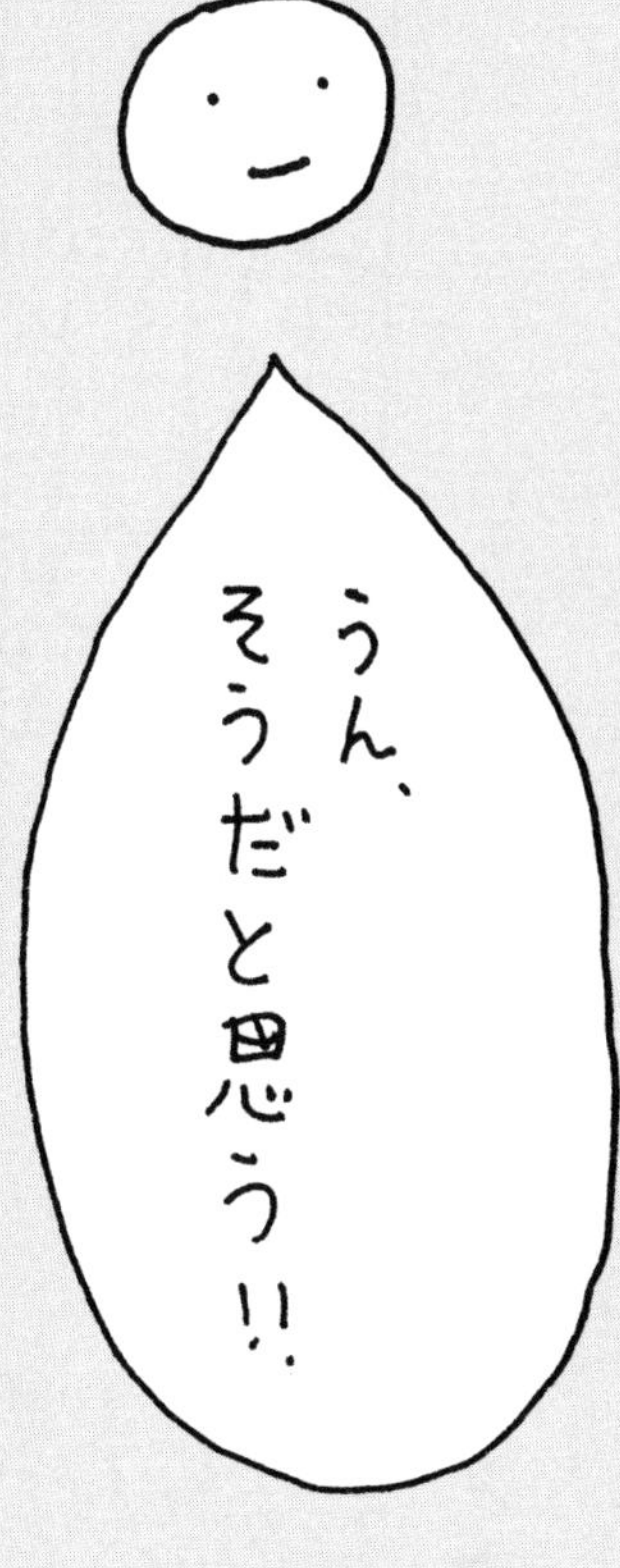
うん、
そうだと思う!!

49日目

エレベーターに乗ったら
猫が見ていた

だれかが
見てて
くれてるよ

言葉について

私はあまり言葉の重要性を
意識しないで使ってきました
言葉が自分を表してるということも
わかってませんでした
大人になってから
言葉をどう使っていったらいいのか
悩んでます

50日目

自分のことを
説明するのって
むずかしい

自己紹介の
練習でも
してみる?

51日目

コトバは時々
ナイフのように
人を 深く
きずつける

大変だったね
ひどい目に
あったね

時間が かかるかも
しれないけど
きずはいつか治るよ

52日目

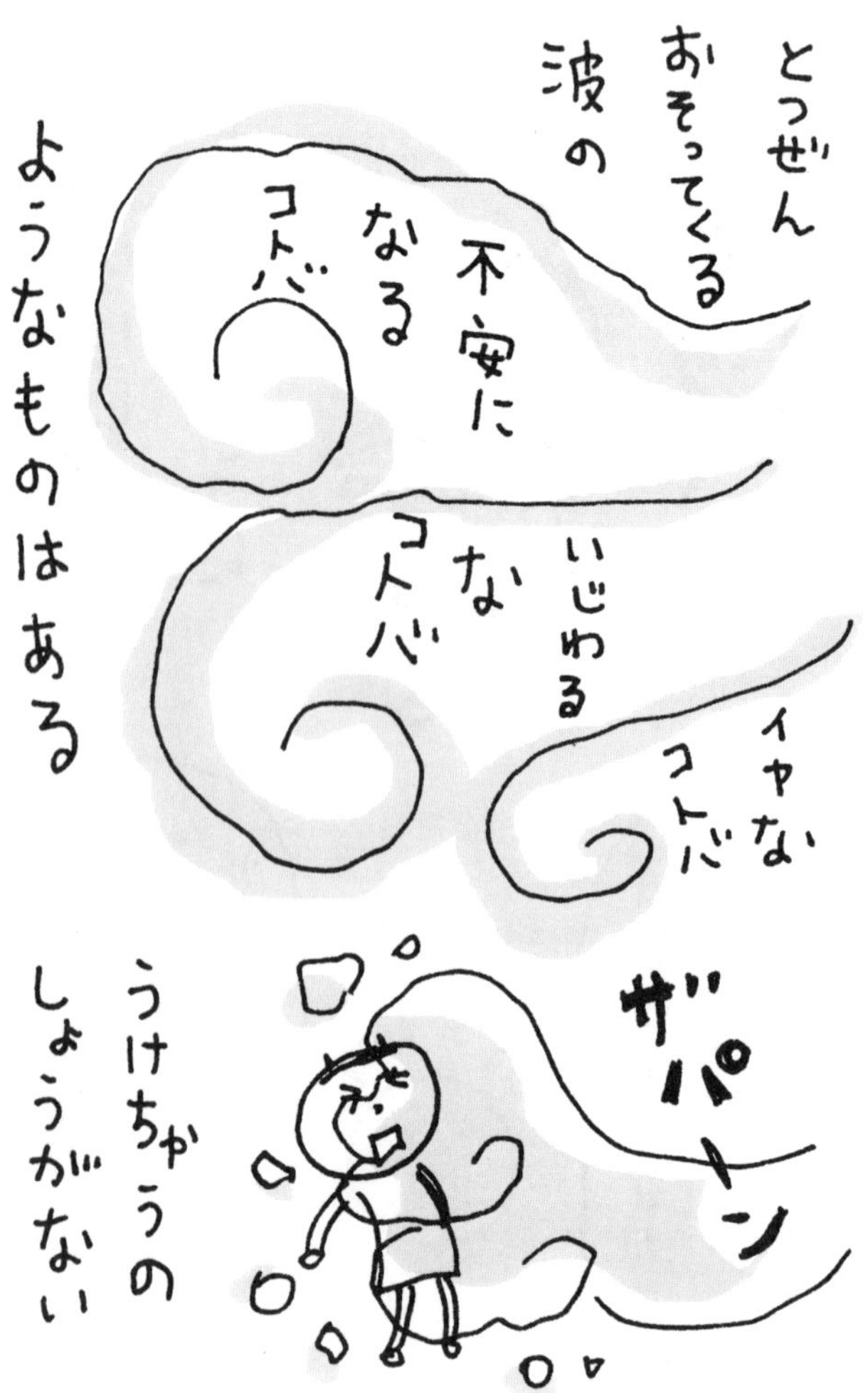
とつぜん
おそってくる
波の
ようなものはある
不安になる
コトバ
いじわるな
コトバ
イヤな
コトバ
ザパーン
うけちゃうの
しょうがない

ぬれるけど
あとはうしろに流す
ぬれたからかわかすか
今、やらなきゃいけないことをする
今どうするかが大事だよね

声に出して読むページ

今はできなくても
やりたい気持ちが
あれば　いつか
できるかもしれない

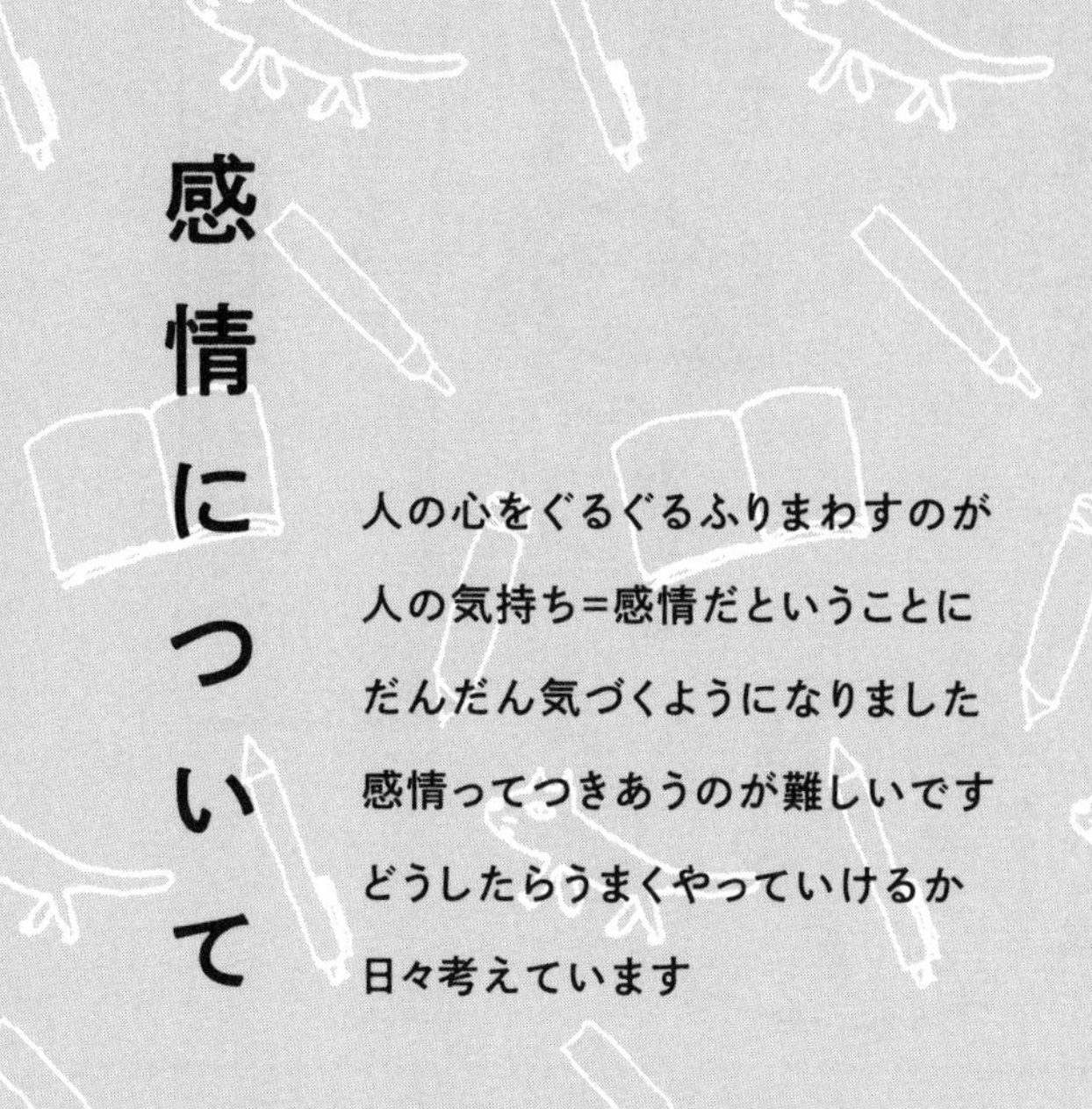

感情について

人の心をぐるぐるふりまわすのが
人の気持ち＝感情だということに
だんだん気づくようになりました
感情ってつきあうのが難しいです
どうしたらうまくやっていけるか
日々考えています

おきた出来事はそのままうけ流す
そこに感情をくっつけない

54日目

視覚化すると
客観的になって

こんなことが
イヤだった

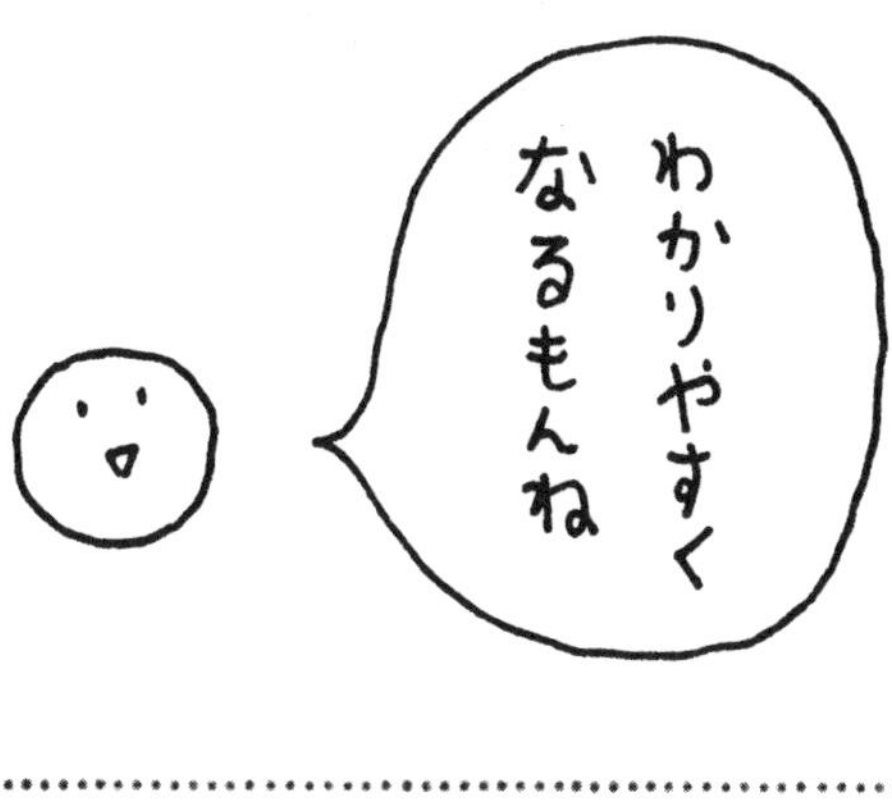

解決さくがうかぶ!!

わかりやすく
なるもんね

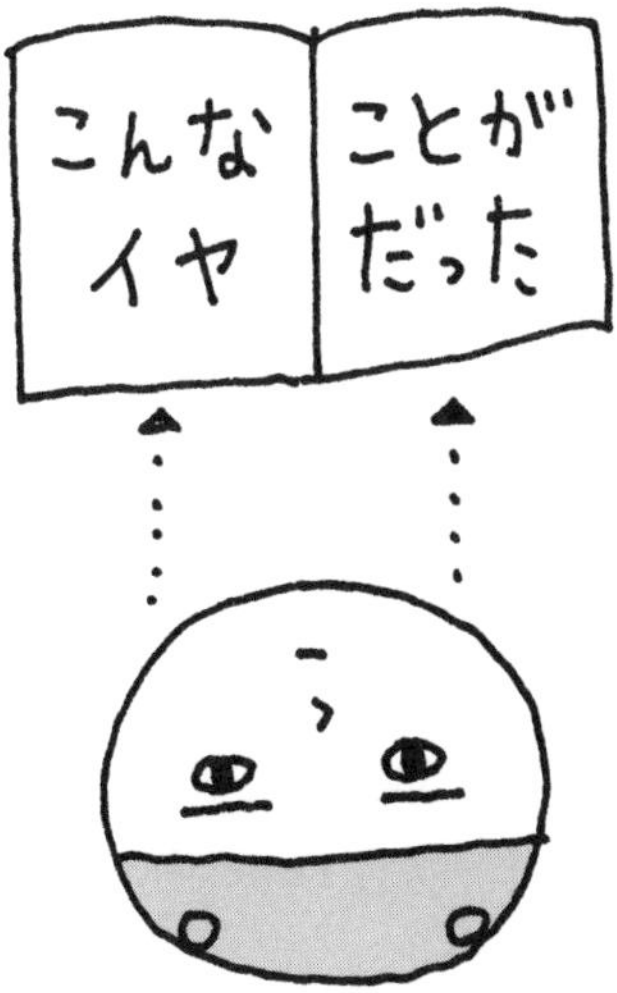

55日目

こうなると
いいなあ

と、思ったことは
人に話すようにする

だれかが…
あとおし
してくれる
かも

56日目

また新たに
私のやる気を引き出して
もらえた

やったるでー

フレー
フレー
おうえん
してるよ

57日目

バネにして　とびあがる力にする

くやしい

くやしいって気持ち
大事だよね

声に出して読むページ

どう生きていくかは
自分で決められる

おだやかな気持ちになるとき

いつもきんちょうしてびくびく生きてた
私は「おだやか」という状況が
わかりませんでした
人にほめられると不安になるし
楽しいことも楽しめない
少しずつ変わっていけたらいいな

58日目

自分をほめるように
なったら
他の人からも
ほめられるようになった

よかったね

59日目

変わってる人
どうして
話が
はずむ

自分と
似てる人と
話すと楽しい
よね

COLUMN　ココ友、もうちょっときいて！

この友だち日記を書くようになってから、
怒る気持ちがどんどんへっていくので、
楽になったなあと思う。
それから、自分を否定すること、
他人を否定することをやめたら、
楽に前へ進めるようになった。
自分がこだわってきたこと、
こうするべきだと思ってきたことが、
くずされていくと、
どんどん楽になる。

そうして　おだやかに
なっていけるのは
いいよね

声に出して読むページ

カラダも
アタマも
やわらかく
おわらかく

波がきたら

日常生活をしてて
大きな波はあんまりこないけど
小さな波ってけっこうたくさんきます
予定通りにくることもあるし
予告なしにくることもあります
私は波がこわいです
対処できるようになりたいです

起きあがらなくっちゃだるまだもの

たまにはねたままでいいよ

61日目

走り出した
＝
願いは叶った

あとは
なるように
なる

62日目

人はネガティブなことに
すぐ気づくけど
ポジティブなことには
気づきにくい

よいことも
いっぱい
あるよ

63日目

（いじわるな）女と
おつきあいする
ためには
えんぎ力が
必要らしい

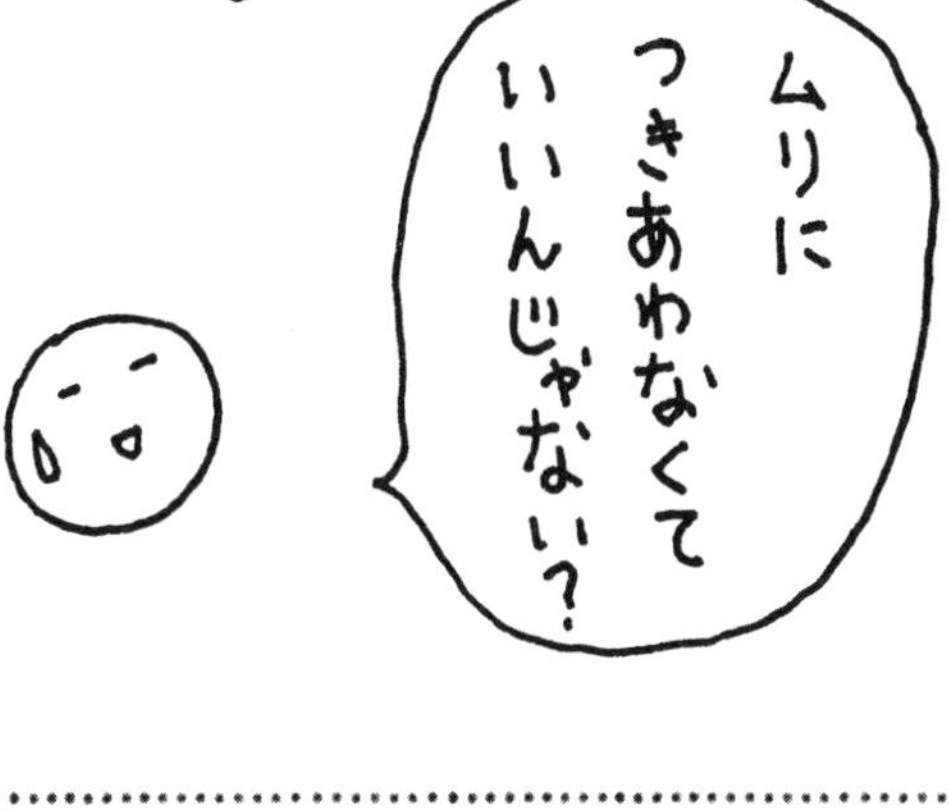

ムリに
つきあわなくて
いいんじゃない？

64日目

人間関係
うまくやりたかったら
えんぎ力つけなさい
大人なんだから
と　しかられる

65日目

やらなきゃいけない
ことが多すぎて
カラダとアタマが
おいつかない

とりあえず
休もう

66日目

波に流されてみる

しばらく
波に
流されちゃっても
しょーがない

自分には
うけとめ
きれません

悩んじゃっても
ＯＫ
その時間が
必要な
こども
ある
波が
おちついたら
共感してくれる人の
声を栄養にして
立ちあがる
おうえん
してるよ
足をひっぱる
意見は
素通りして
また前に進む
うん
イイ感じ

67日目

いろんな人の
話をきいて
自分の
進む道を
考えてる

話をきけるって
ありがたいね

68日目

うけいれて
認めることにした

あとは
流れに
まかせよう

69日目

大変だったけど
いい経験を
したなと
思う

ホッとしたら つかれが出た

COLUMN　ココ友、もうちょっときいて！

自分を大切にする方法を考えてみた。

・つらかったら、つらいって言っていい。
自分よりも大変な人もいるんだから
がまんするという考えはやめる

・自分をうけとめてくれる人が世の中にいる。それを忘れない

・わかってくれる人に話す。
その人にどうしたらよいかきいてみる

・いろんなことに支配されないために自分を守る。
そのためにちゃんと休む

一番大事な人は
自分自身だよね

声に出して読むページ

ものすごーく
がんばった
私、エライ!!

いつもの自分をふりかえる

私の場合、ただ生きてるだけでは
おだやかに生活できません
今日一日どうやって生きてきたか
明日はどう生きていけばいいか
つねにふり返りと点検が必要です

71日目

時間にヨユウが
できると
気持ちにも
ヨユウができる

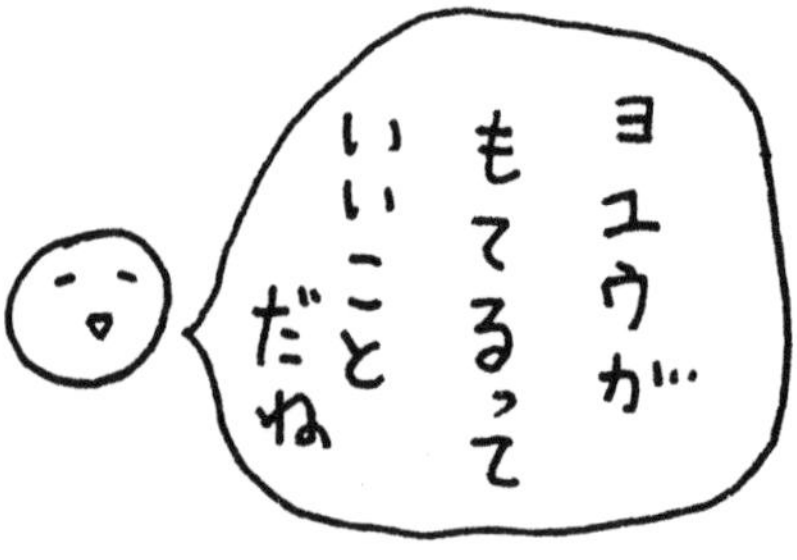

ヨユウがもてるっていいことだね

72日目

どの人にも
それぞれ事情が
ある
わかってる
わかろうと
してる…。

ムリに
わかろうと
しなくて
いいんじゃない？

人の話をきけない
目の前のことが
見えてない
そういう人が
きらわれてる

昔の私
そうだった
かも…

これから
気をつけよう

たくさんの人を
きずつけて
しまったかも

一度
ふり返って
反省することは
いいことだと
思う

75日目

76日目

声に出して読むページ

なんとか
なりそう

動き出したとき

自分がやりたいことって
なかなかどう動き出していいのかわからない
周りの人に「こういうことをやりたい」と
伝えておくと
とつぜん動き出すことがある
そのチャンスをうまく生かしていきたい

77日目

どうもいろいろ
デトックスされたらしく
新しい方向に
動きはじめた

そういう
切りかえの
時期って
あるよね

自分が思ってるより
人はやさしい
ウン
そう思う

79日目

雨で少しだけ
寒かったけど
人と会って
あったかくなれた

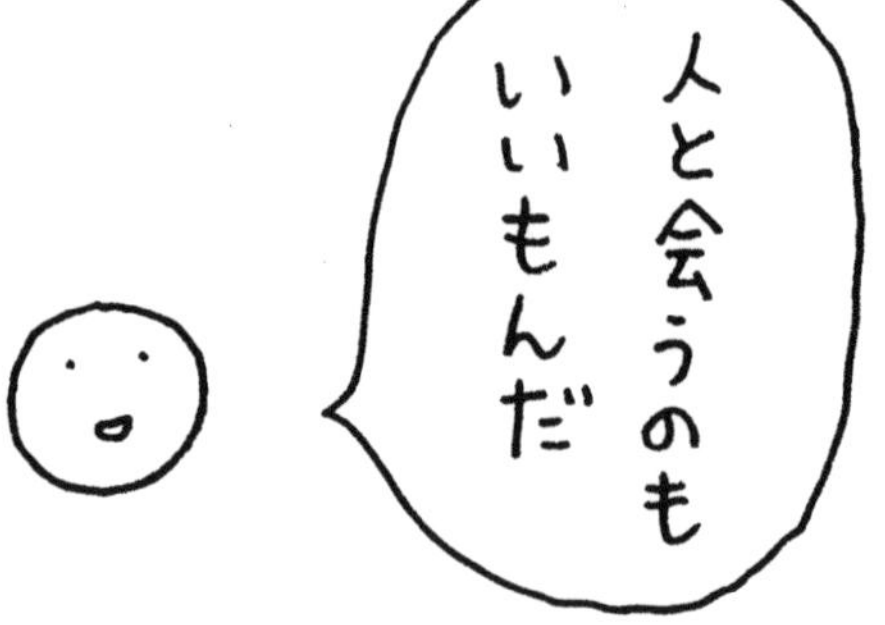

80日目

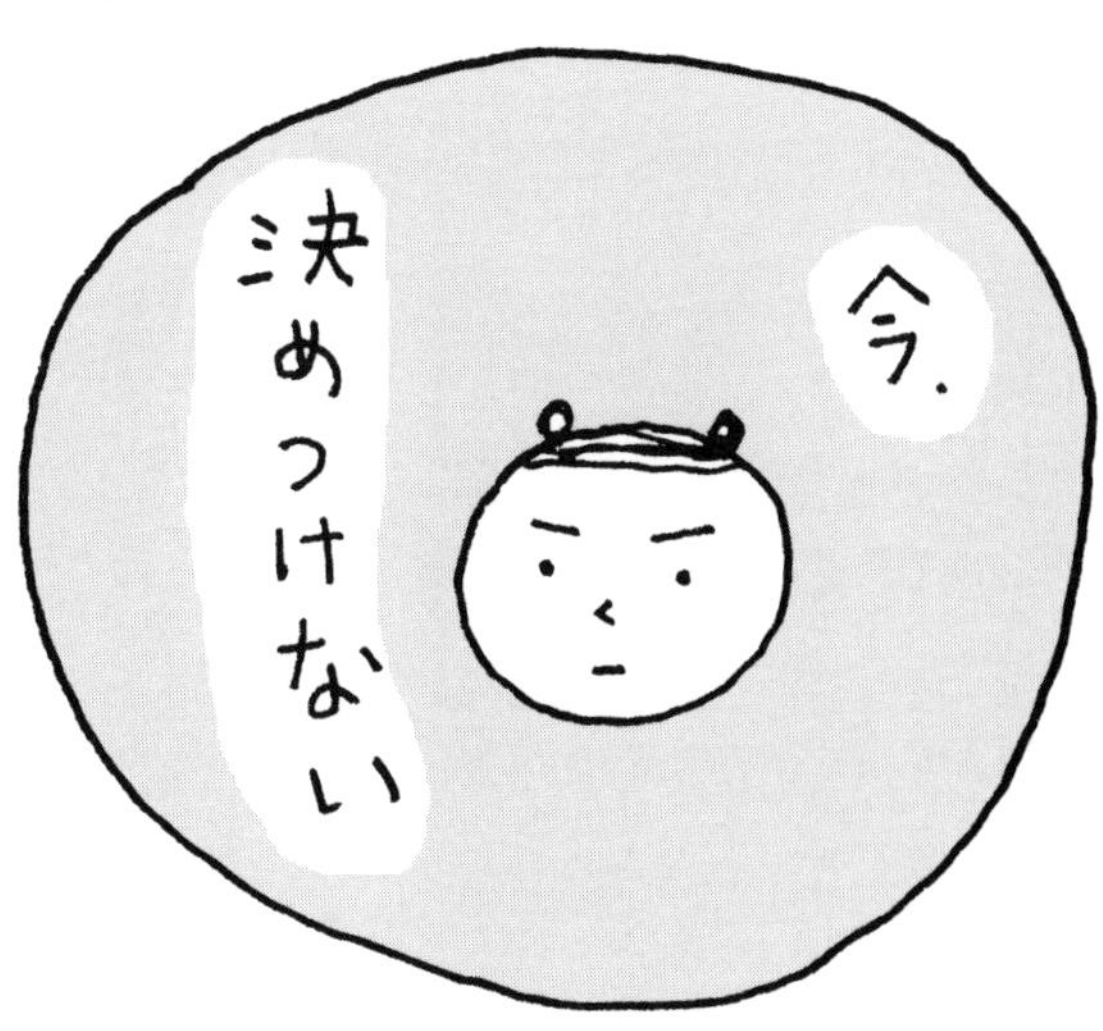

できるかも
しれないし
できないかも
しれない

COLUMN ココ友、もうちょっときいて！

私は、私のできるはんいのことをしていく。
「たまたま」でも「まぐれ」でも、
チャンスが自分のところにきたことを、素直によろこぶ。
今しかできないことをする。
今できることはたくさんある。
今を一生けんめい生きてたらよし。
今、できることができたらそれでよい。
できないことはムリにしない。
やってみてうまくいかなくても、
経験したことは自分の栄養になる。

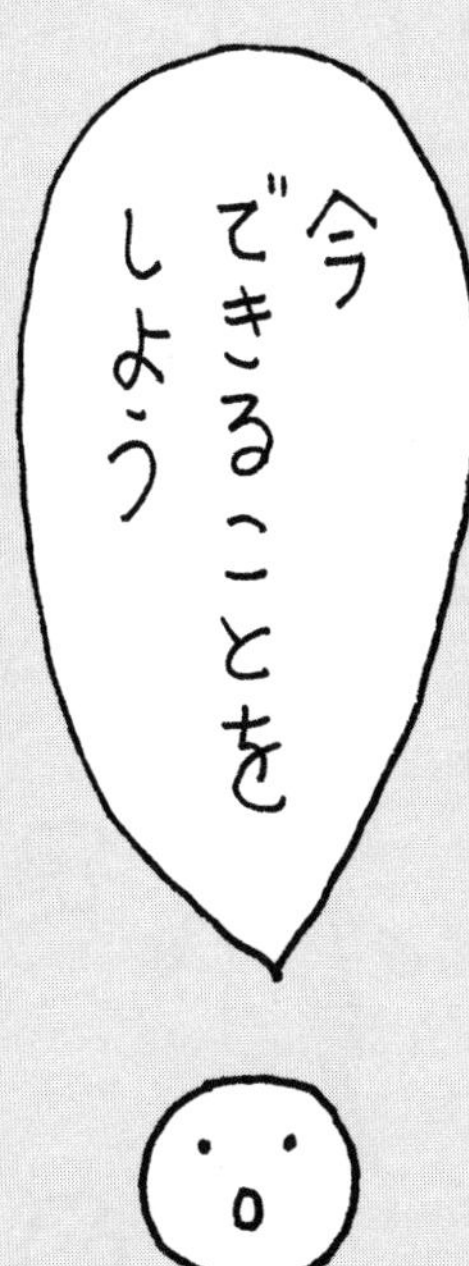
今
できることを
しよう

声に出して読むページ

とにかく
シアワセ!!

ピンチがきたとき

チャンスがくると必ずピンチもくる
私の場合、勝手に「ピンチだ!!」と
思いこんであわてることが多い
そうならないように
冷静に対応したい

81日目

82日目

ピンチの前より
よくなった

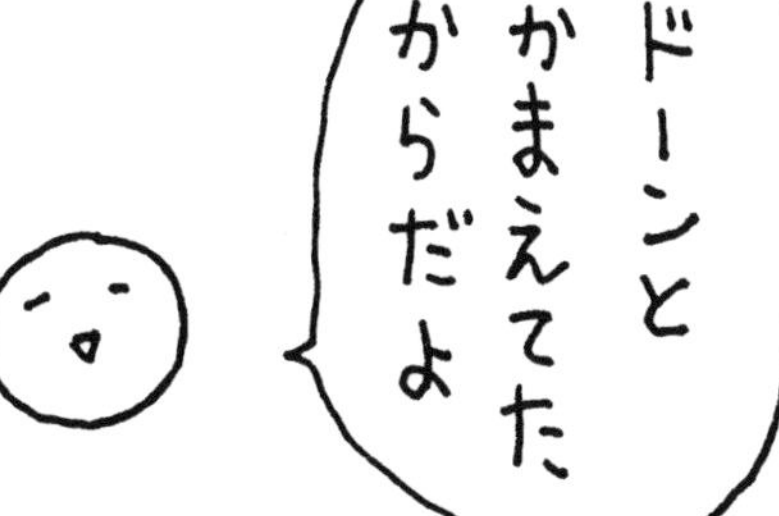

83日目

今の自分に
ぐうぜん
ぴったりの
はげましを
してくれる人が
いた

!!

よかったね

84日目

わざわいだと
思ったことが
福だった

85日目

なんとか
がんばってみます

誰かに
助けて
もらうと
手が届く
かもね

自分をはげます
コトバを書いて
カベにはる

平常心

見えるように
するのって
いいよね

87日目

88日目

じっと
してても
チャンスは
くる（らしい）

89日目

心も
きたえる

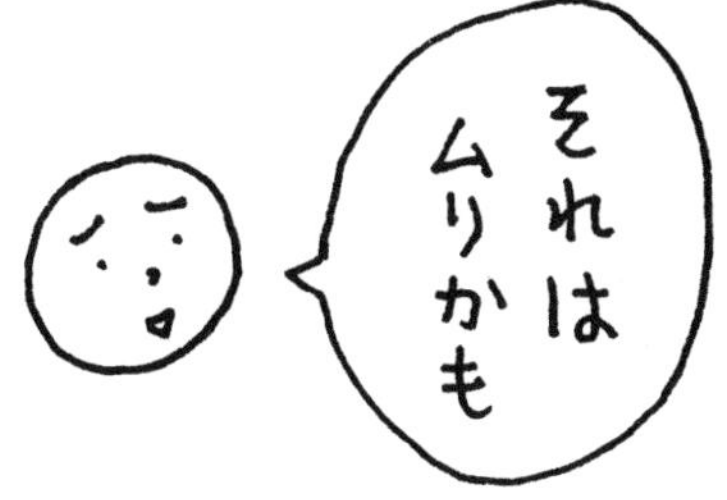
それはムリかも

91日目

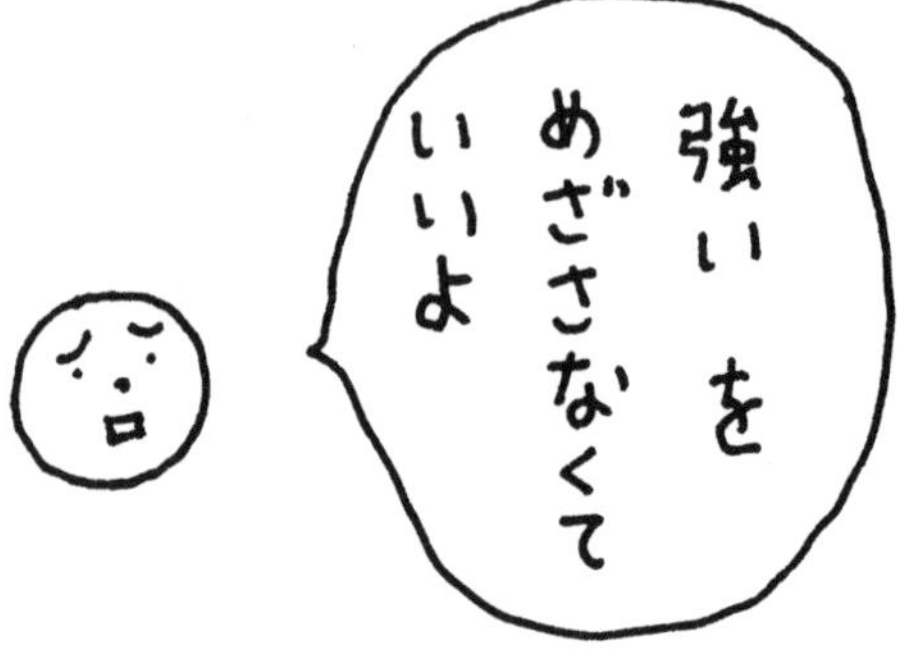

92日目

きおくのカイロが
ネガティブなことばかり
思い出させる
自分で自分の
進む道を
ふさごうとしてる

気づけるようになったんだね

COLUMN　ココ友、もうちょっときいて！

すぐつかれちゃうのは、
人よりたくさんがんばりすぎてるから。
でもそれは悪いことじゃないよ。
体調をくずしたってことは、
自分で思ってるより、がんばりすぎてる証拠。
しっかり休む。
ボーっとしてても安心していられる場所で、
エネルギーを充電する時間を、
ちゃんとつくることが、おだやかに生きていくコツ。
しんこきゅうをしながら、気持ちを整える。
気持ちがおちつくと次に進める。

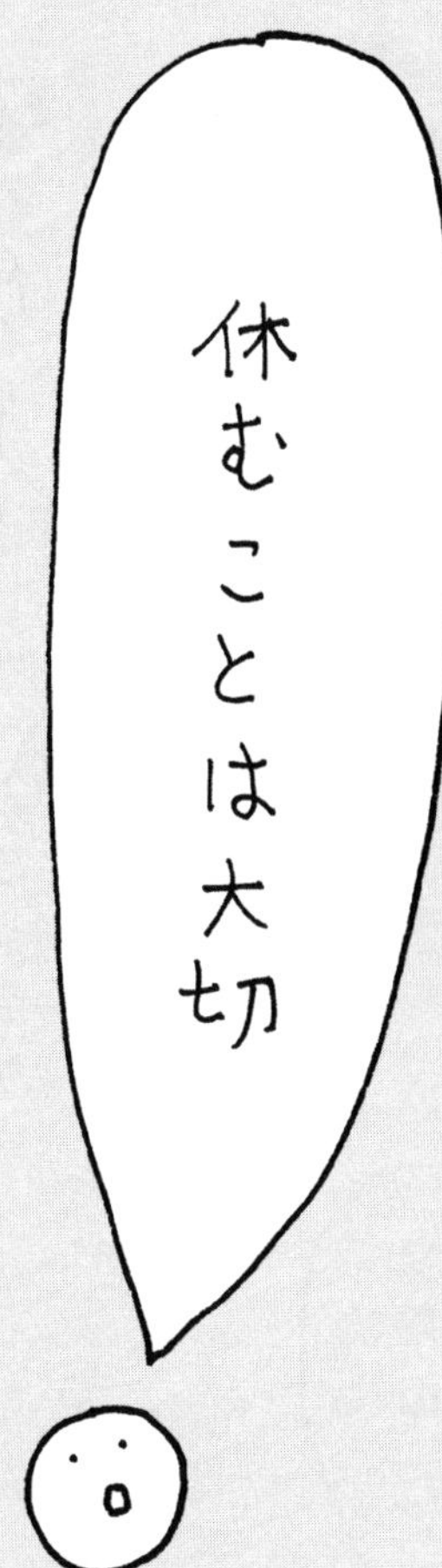
休むことは大切

93日目

よけいなものが
なくなると
自分の
本当のカタチが
見えてくるんだな

94日目

まあるい
空気の中で
みんなで
おしゃべりした

自分のカタチが…
見えてくると
人とおだやかに
接することが
できるね

95日目

まるい絵を
見て
ココロが
まるくなった

96日目

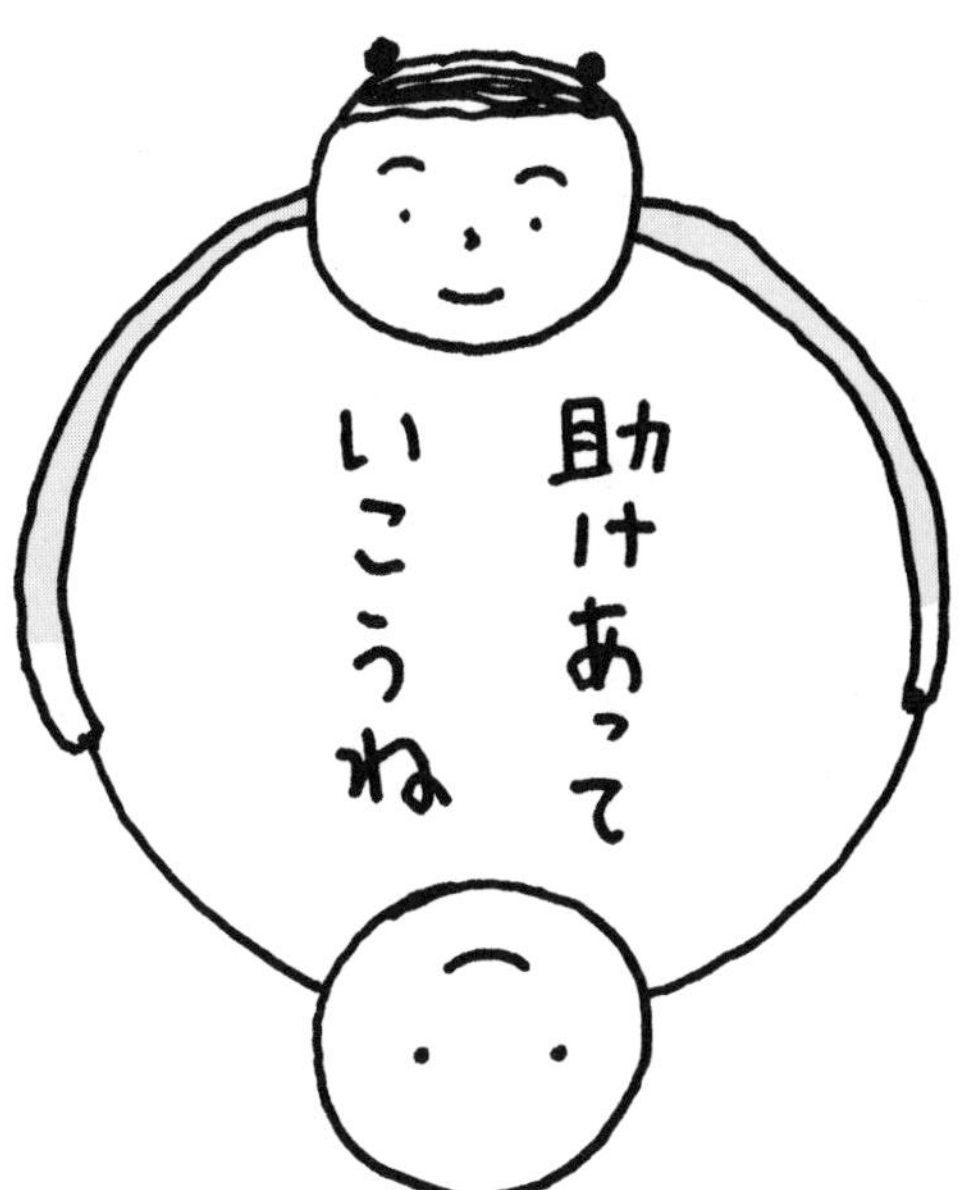

声に出して読むページ

少し休んで
次に進みます

ココロの友だちにきいてみて

自分のココロの友だちにきいてみて
わかったこと
考えるようになったこと
できるようになったこと
いろいろあるよ

97日目

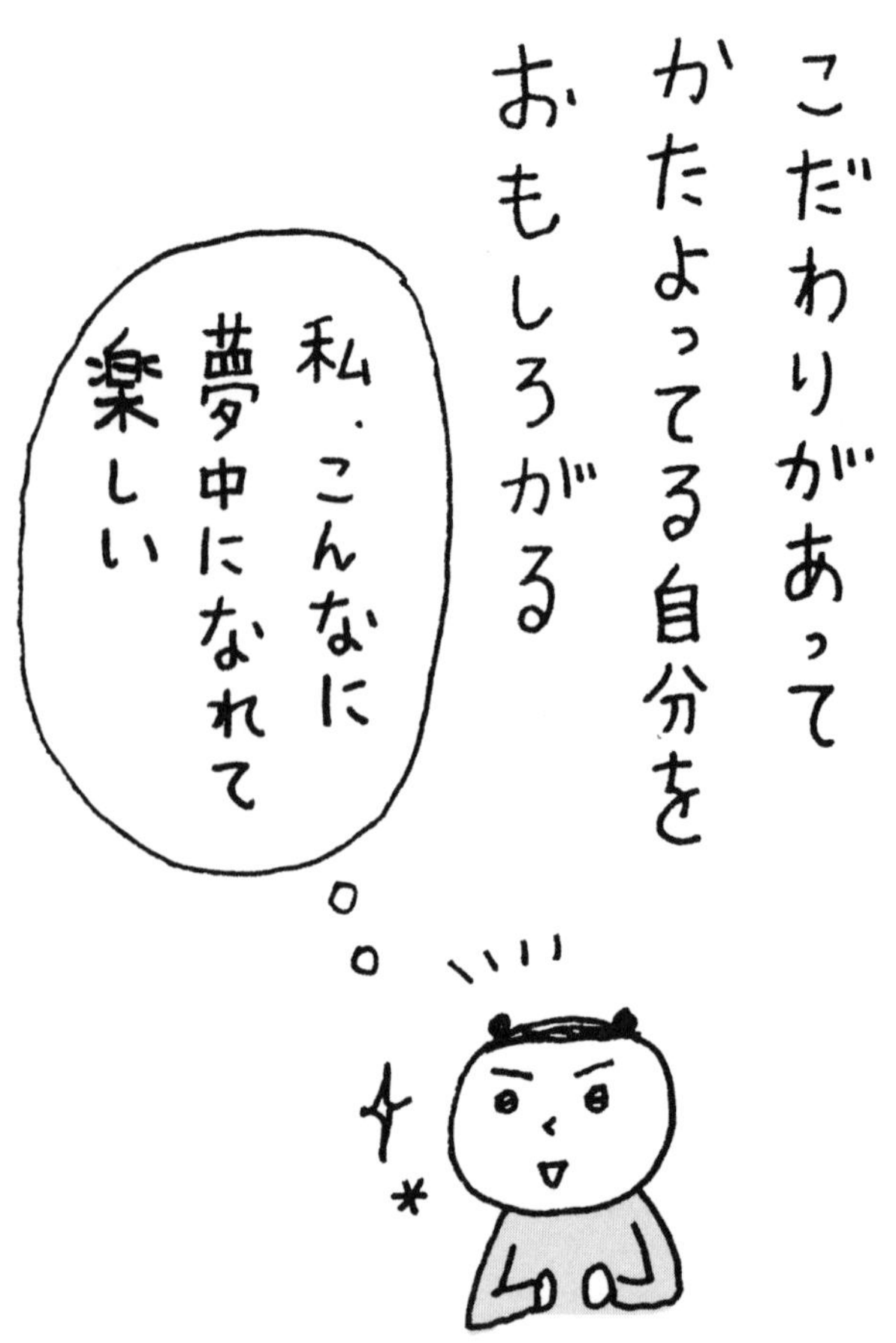

98日目

なんでも
ためこむのが
スキなので
全体の流れを
うまく
めぐらせる
ようにしておく

99日目

本当に自分がワクワクできることやってる？

やりたいと思ってる

100日目

イライラしてしまう自分も大事にする

イライラしはじめたら自分が何に困ってるのかたしかめる

101日目

102日目

自分にとって
今
必要なものと
そうじゃないものを
わける

103日目

104日目

でも
めんどくさいなって
ことも
自分の栄養に
したい

105日目

106日目

アレ?
もしかして
もう
できてるんじゃない?

107日目

心の友だちに
ずっとはげまして
もらってたけど
なくても大丈夫に
なった

108日目

COLUMN　ココ友、もうちょっときいて！

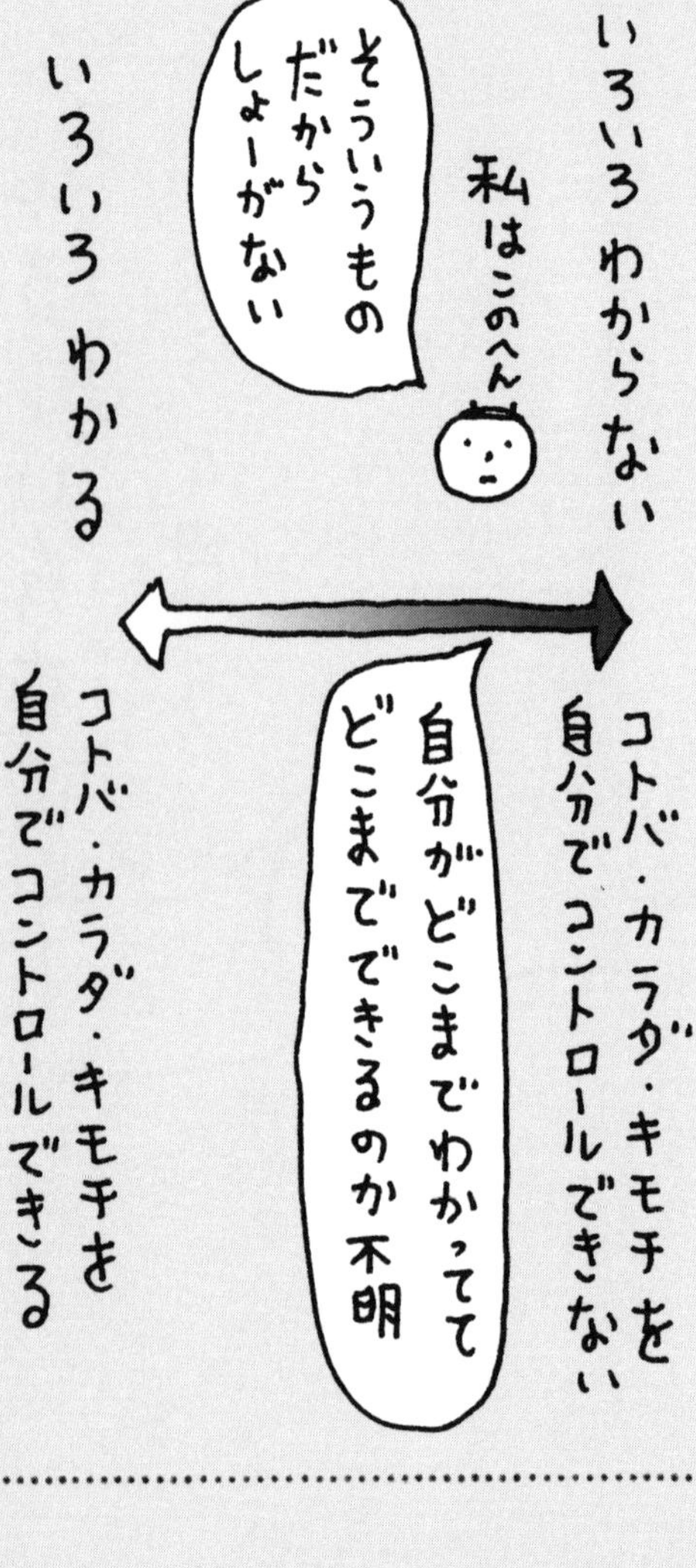

いろいろ　わからない

私はこのへん

そういうもの
だから
しょーがない

いろいろ　わかる

コトバ・カラダ・キモチを
自分でコントロールできない

自分がどこまでわかってて
どこまでできるのか不明

コトバ・カラダ・キモチを
自分でコントロールできる

友だち日記を続けてわかったことがいろいろある。

・自分が幸せを感じられないと、相手を幸せにできない

・世の中の大半の人は、ボーっと生きてる

・自分が思っているより、他人は自分のことを気にしてない
・人の速度はそれぞれちがうから、自分の速度を大事にする
・「自分」を知るのはおもしろい
・おもしろそうってことは、まだまだたくさんある
・「なんでだろう?」って追求していくのはスキ
・毎日ほどよく楽しくて、おどろくことがあると充実する
・ここでだめだったとしても、
また次の新しい道を考えて進めばいい
・毎日少しずつ成長してる

いろんなことに
気づけるようになったね

おわりに

「友だち日記」をやったことで、
私に「ココロの友だち」ができました。
「大丈夫かな?」って思うとすぐに、
「きっとなんとかなるよ」って頭の中で、
声が聞こえるようになりました。
それまでは、エンドレスで「大丈夫かな?」が、
ぐるぐる頭の中を駆け巡っていたのですが、
今はすぐに次のことに切り替えられるようになって、
生きるのが楽になりました。
私がすぐに切り替えられるようになったのは、
「友だち日記」だけじゃなく他のことも、
同時にやっていたからなのですが、
それはまた別の機会にお伝えできたらいいなと思います。
そして、「ココロの友だち」は自分自身なので、

やはり限界があります。
悩みが深すぎて自分ではどうにもならなくなったら、
自分が信用できる他の人に助けてもらってください。
他の人の言葉は自分の中にはない言葉なので、
とっても助けてもらえると思います。
最後になりましたが、この本を出すきっかけを作ってくださり、
一緒にどう作るか考えてくださった大原彩季加さん、
ありがとうございました。
そして読んでくださったみなさま、
本当にありがとうございました。

2023年8月吉日　細川貂々

細川貂々　ほそかわ・てんてん

1969年、埼玉県生まれ。漫画家・イラストレーター。セツ・モードセミナー卒業。パートナーのうつ病を描いた『ツレがうつになりまして。』(幻冬舎) がベストセラーに。テレビドラマ化、映画化される。その他、水島広子医師との共著「それでいい。」シリーズ、今一生氏との共著『さよなら、子ども虐待』(創元社)、『凸凹あるかな？ わたし、発達障害と生きてきました』(平凡社)、『がっこうのてんこちゃん』(福音館書店)、『こころってなんだろう』(講談社)、イラストを手掛けた『セルフケアの道具箱』(晶文社) などがある。現在、兵庫県宝塚市で、生きづらさを抱えた人たちが集う「生きるのヘタ会？」を主宰。

ココロの友だちにきいてみる

令和5年（2023）11月5日　初版第1刷発行

著　者　細川貂々（てんてん企画）

発行者　池田圭子

発行所　笠間書院
〒101-0064　東京都千代田区神田猿楽町2-2-3
電話：03-3295-1331
FAX：03-3294-0996
mail：info@kasamashoin.co.jp
https://kasamashoin.jp/

デザイン　アルビレオ

本文組版　キャップス

印刷/製本　大日本印刷

ISBN 978-4-305-70996-7 C0095